D0235153

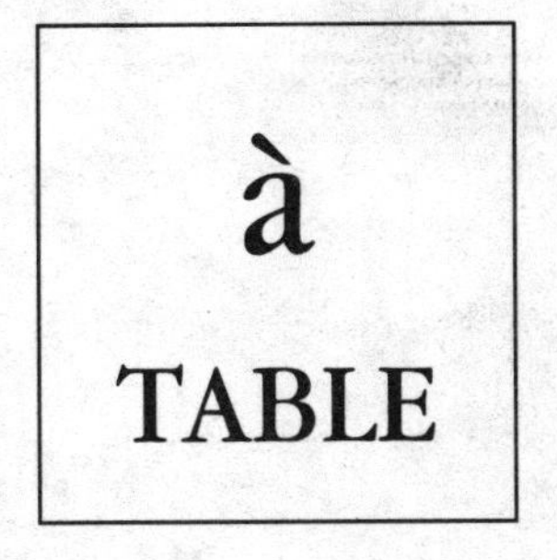

à
TABLE

Tout pour bien recevoir
et être bien reçu

par Nathalie Pacout
pour le COMITÉ DES ARTS DE LA TABLE

ISBN : 2-9504594-0-4

Mention obligatoire : Photos encart double page tirées du catalogue des Arts de la Table IMCA.

Photos encart simple page :
Exposition des Arts de la Table du Printemps.

Sommaire

Le plaisir du quotidien

Le plaisir de recevoir

Le plaisir d'être reçu

Le plaisir de faire plaisir

Testez votre savoir

Les règles d'art du recevoir

Si recevoir est un bonheur et un plaisir, si préparer un repas c'est comme une cérémonie, une sorte de rite avec ses contraintes, ses rigueurs et ses joies :

Voici dix règles pour célébrer « La Fête ».

1. Le grand jeu

A la manière d'Oscar Wilde. En harmonie de rouges. Des monceaux de roses, nappe rouge rosée, verres gravés dorés cerclés de rouge, posés ironiquement à côté des assiettes « rouge foncé ». Poèmes en menu sur le dossier de chaque chaise, pains blonds sous serviette de dentelle « rouge émotion ».

2. L'orageuse

A la manière de Maïakovski et Lily Brick. Nappe blanche, assiettes blanches, vodka, verres à vodka en cristal, bougies blanches, dîners intenses assez fous, discussions, passion, face à face fatal.

3. La plus luxueuse

A la manière de Misia Sert. Nappe brodée rose, devant chaque assiette de nacre rosée, un arbre ming en quartz rose, couverts nacrés, verres de Murano de toutes les couleurs, carafes rebondies bouchon argent, vin genre porto.

Cette perfide collectionneuse de cœurs (Renoir, Bonnard, Vuillard, etc...), folle de lubies qui devenaient des modes, pouvait tout inventer. Les repas étaient somptueux, elle réunissait des amis pour les mieux pouvoir brouiller ensuite, disait Proust.

4. La plus tendre

A *la manière de* Paul Morand. « Les *nouilles à la* Vénitienne ».

5. La plus gourmande

A *la manière de* Colette. *Presque allongée, robe de soie noire, fenêtre ouverte sur le jardin, table ronde, jatte de fruits multicolores, oranges, raisins muscats, plats de légumes, des herbes, de la menthe, de l'estragon, du poulet grillé avec du citron cuit moitié caramélisé, un vase haut rouge avec une branche de cerisier, de l'huile d'olive, du poivre, du sel et du sucre, du vrai sucre pommadé, nappé, glacé.*

6. La plus douce

Régine Desforges *et moi, à l'*Ile de Ré. Petits *déjeuners, confiture de framboise de l'*Ile de Ré *à peine sucrée, à peine cuite.* Tartines *de pain grillé pour* Régine, *beurrées à l'avance, elle laisse fondre le beurre et met seulement la confiture, table en chêne, corbeille argent, sets de dentelle.* Très *tôt le matin, les hommes dorment, les enfants dorment.* On *ne parle pas et on éclate de rire après la deuxième tartine.*

7. La plus séductrice

A *la manière de la* Callas. Verres Baccarat *haute époque, couverts de vermeil, bougeoirs vermeil genre* Louis II *de* Bavière, *nappe blanche brodée rouge, rose, jaune doré.* Potiche *bleu de chine au milieu de la table avec des roses pompon jaunes qui dépassent à peine.* De *chaque côté de la* potiche, deux miniatures chinoises, un homme et une femme. Du Château Margaux grande année et la Traviata.

8. La plus mystérieuse

A la Cocteau. Manuscrits, opium, poésies, dîner sur le lit. Travesti équivoque. Mystique.

9. La royale

Les treize Académiciens des Arts et du Vin, une longue table dans les hospices de Beaune, treize taste-vin sculptés par César, du Vosne-Romanée 1954 en dessert et pour le repas une cuvée spéciale de Saint-Estèphe, des assiettes blanches cernées d'or, des fleurs blanches au cœur d'or, des bougies blanches dans des chandeliers d'or, et le rouge somptueux du vin dans des verres Lalique gravés d'or. Une grande année 1989.

10. La plus drôle

Le menu de Gauguin :
Foutinaises assorties
Puaka oviri au four canaque
Moa Opapa sauce coco
Rôti de bœuf à la française
Salade ! ! ! Aita
Desserts
Apéritifs vins cave coloniale
Amusez-vous mais pas de bêtises.

Sonia Rykiel

INTRODUCTION

Le monde change, les relations entre les gens évoluent, les façons de vivre, de recevoir et d'être reçu se transforment, mais s'il y a une chose qui demeure intacte, c'est bien le savoir-vivre. Bien sûr, il a perdu sa rigidité. Aujourd'hui, on pratique la politique du savoir-bien-vivre, qui permet de mieux goûter la vie et de mieux partager ce savoir. Comment? En accordant plus d'importance au plaisir du moment, de l'instant éphémère. Ce livre n'a d'autre ambition que de vous y aider.

Nous ne passons pas 24 heures sur 24 à ne faire que ce qui nous fait plaisir. Nos journées sont ponctuées de contraintes auxquelles nous aimerions bien échapper. Impossible, direz-vous. Peut-être, mais alors, pourquoi ne pas mettre l'accent sur tout ce qui vient autour? Page après page, vous allez découvrir que les petits plaisirs sont là, présents, tous les jours, partout, prêts à être captés.

D'abord, vous verrez comment transformer l'ordinaire de la vie quotidienne en parcelles de bonheur mises bout à bout, en instants choisis, agrémentés par ces détails qui changent tout. Du lever au coucher, les occasions ne manquent pas...

Ensuite, vous redécouvrirez le plaisir de recevoir ceux que vous aimez, sans fausse note, en toute simplicité, à l'improviste ou lors des grandes occasions. Mais toujours en soignant les détails, car c'est là le secret des maisons où plane une atmosphère de plaisir, un climat de fête, en toutes circonstances.

Etre reçu fait également partie de ces moments privilégiés de la vie. Mais êtes-vous bien sûr de donner le meilleur de vous-même ? Sans vous en rendre compte, peut-être vous manque-t-il quelques petites ficelles ? Ce sont généralement celles qui tissent les liens du cœur. Ce livre vous les donnera.

Sans oublier le plaisir de faire plaisir. Un petit cadeau, des fleurs, une carte postale ou une lettre, un mot gentil : la vie fourmille de bonnes occasions pour faire plaisir. Et lorsque vous n'aurez même plus à vous trouver des raisons, vous aurez gagné ! Gagné en chaleur, en tendresse, en amitié, car le véritable savoir-vivre, n'est-ce pas simplement d'établir de meilleures relations les uns avec les autres ? Donner, recevoir, échanger, à tous les niveaux, voilà les clés de la vraie communication. Retrouvons vite ce plaisir essentiel...

Le plaisir au quotidien

« Le plaisir de manger est le seul
qui, pris avec modération,
ne soit pas suivi de fatigue »

BRILLAT-SAVARIN

Ah ! Que la vie est quotidienne... » disait malicieusement le poète Jules Laforgue, mais non sans une pointe d'amertume. Les jours succèdent aux jours, semblables les uns aux autres, sans surprise. Tout cela parce qu'on a négligé de cultiver la graine de folie que chacun a en soi, oublié que l'imagination était l'arme absolue contre le quotidien. Redonnons-lui la place qu'elle mérite.

1. CULTIVEZ VOTRE IMAGINATION

Chaque journée est une succession de moments, de clichés instantanés mis bout à bout selon un rythme parfaitement établi. Prenez le temps de passer en revue, très en détail, chacun de ces instantanés. D'abord, le réveil, facilité par une tasse de thé. Puis, le petit déjeuner, chaleureux et gai, autour d'une table agréablement dressée. Plus tard, le déjeuner. Si vous n'avez pas le temps de rentrer chez vous, et prenez vos repas de midi au restaurant, optez pour l'harmonie. Préférez un endroit où l'on vous sert une table bien mise, avec une nappe en tissu, plutôt qu'un snack vite fait bien fait. Vous paierez certainement un peu plus cher (et ce n'est même pas sûr !), mais vous aurez eu une coupure apaisante. Si vous remarquez qu'une assiette ou un verre est ébréché, n'hésitez pas à le signaler, on vous le changera immédiatement. Puis enfin, le dîner, à soigner tout particulièrement (voir paragraphe suivant), et la soirée, avec ses petites tisanes variées ou des rafraîchissements.

2. RAFFINEZ VOS DINERS QUOTIDIENS

Les dîners bâclés, vite faits et vite avalés sur un coin de table, même lorsqu'on est seul, quelle horreur ! Ne mettez pas cela sur le compte du temps puisque, justement, l'heure du dîner fait partie de ces moments privilégiés de la journée. Dans la plupart des cas, c'est le seul moment où la famille toute entière se retrouve réunie, se rencontre et où chacun peut raconter sa journée, ses réflexions. C'est pourquoi le dîner doit être un moment de vrai plaisir, sans être muselé par la routine. Mais pour pouvoir créer des surprises, jouer avec l'imprévu, il ne suffit pas de le vouloir, encore faut-il le pouvoir, disposer des « ingrédients » de base. Ils sont de deux sortes : matériels et alimentaires.

• Les détails matériels

Un dîner, même entre intimes, ce n'est pas seulement ce qui garnit les assiettes, c'est aussi ce qui vient autour. D'abord, une jolie table. Ne laissez pas votre imagination s'arrêter au grand service de table qui vous vient de vos grands-parents. Laissez-vous séduire par plusieurs modèles d'assiettes, de verres et de couverts différents, sans forcément disposer d'un service complet. Aujourd'hui, on bouscule les idées reçues, on décoiffe les habitudes, on déstructure les structures ! Les boutiques d'arts de la table ont bien compris cette nouvelle tendance. Elles proposent maintenant leur produits à la pièce, par six ou par douze (sans que le prix unitaire soit plus élevé), au rythme de vos coups de foudre et de vos finances. Vous n'avez pu résister devant une assiette romantique, avec des roses ? Formidable. Votre prochain coup de cœur sera peut être une assiette avec des bleuets, un beurrier garni de liserons, un plat à gâteau semé de marguerites, et vous aurez inventé la table fleurie. Vous pouvez changer de style d'assiettes au cours du repas, mais de préférence ne mélangez pas les motifs à chaque fois. A chaque plat son assiette. Vous pouvez ensuite démultiplier les thèmes, en jouant par exemple sur les couleurs ou les formes. Pensez aussi aux petits raviers, coupelles et plats de toutes sortes, pour ne pas négliger la présentation. Elle est tellement importante !

Pour les verres, c'est exactement la même chose : il existe un verre pour chaque boisson : porto, whisky, vin, champagne, liqueur, orangeade, etc. (voir page 34). Offrez-vous le plaisir d'une petite collection de verres. Ainsi, lorsque l'un d'entre eux vous échappera des mains, vous serez moins triste puisque cela vous obligera à susciter un nouveau coup de cœur !

Et les couverts... Vous savez, bien entendu, qu'il en existe par exemple aux manches de toutes les couleurs. Vous pouvez ainsi les assortir aux harmonies dominantes de vos assiettes, c'est tellement joli !

Il ne vous restera plus, ensuite qu'à choisir une nappe coordonnée, en tissu. Si vos assiettes sont ornées de motifs, optez pour une nappe unie, blanche ou de couleur. Sauf si vous avez poussé le raffinement jusqu'à acheter une nappe coordonnée aux motifs de votre vaisselle, comme le proposent de plus en plus souvent les fabricants. En revanche, si vos assiettes sont unies, toutes les fantaisies sont possibles. N'oubliez pas d'utiliser aussi parfois les sets de table : ils sont souvent très décoratifs. Si vous avez du temps et aimez coudre, pourquoi ne pas acheter des coupons de tissu, uni ou fantaisie, et les border de biais ? Ce n'est pas plus long à coudre qu'un ourlet, c'est plus joli et vous serez fier de vous ! Vous pourrez ainsi avoir tout un assortiment de nappes et varier votre table au gré de votre fantaisie.

Cherchez aussi des idées pour transformer à peu de frais votre maison. Un soir, disposez des bougies partout. Offrez-vous des bougeoirs de table de tailles différentes, et même, pourquoi pas, un chandelier. Un autre soir, composez un joli bouquet de fleurs. Il existe mille et une façons ravissantes de disposer des fleurs. Tout commence par le contenant, du pique-fleurs à toutes les sortes de vases. Vous trouverez une foule d'idées page 69 (« Le plaisir des fleurs »). Un autre soir encore, semez des mini-bouquets sur la table, créez une atmosphère parfumée, changez une lampe de place, essaimez des pétales de fleurs sur la nappe, des paillettes ou des rubans de couleur. Plus vous essayerez de vous renouveler, et plus cela vous viendra facilement, comme une seconde nature. Vos idées vont fuser, vous en serez tout étonné et étonnerez vos invités par votre sens de l'hospitalité raffinée...

- **Les indispensables réserves**

Passons maintenant au contenu des assiettes... Pour être le roi ou la reine de l'improvisation, l'incomparable magicien(ne) de la surprise, encore faut-il être organisé(e) un minimum. Difficile d'improviser une spaghetti-party sans spaghetti, un dîner chinois sans riz, ou un repas de crêpes sans farine ! Le jour des courses, n'y allez pas « à l'inspiration ». Prévoyez plutôt, une petite demi-heure avant, d'établir une liste d'achats, après avoir imaginé plusieurs idées de menus. Quant aux ingrédients de base, remplacez-les au fur et à mesure de leur consommation. N'hésitez pas à acheter des produits ou des épices qui vous sont inconnus. Ils ajouteront une saveur particulière sur votre table, un goût étrange venu d'ailleurs. Investissez aussi dans quelques livres de cuisine de pays différents (il en existe même dans les collections de poche). Vous ferez ainsi voyager votre imagination. Tajine, couscous, fondue, römertopff, raclette, cassoulet en cassolette, apple pie, crumble, apfel strudel, etc., les possibilités sont aussi vastes que le monde.

N'oubliez pas non plus, de temps en temps, d'organiser des petits dîners de fête à deux, sans qu'il y ait besoin d'occasions particulières pour cela. Poissons fumés, blinis, crème fraîche, champagne ou vodka, le tout éclairé aux chandelles et servi dans vos plus jolis plats, vos derniers coups de cœur, vos verres les plus spéciaux avec vos couverts les plus raffinés. Quelques notes en sourdine d'une musique que vous aimez tous les deux, et le tour est joué. Vous avez « fabriqué » un moment de plaisir absolu, simplement parce que vous avez soigné les détails et fait preuve d'imagination.

Toutefois, certains jours, après une journée particulièrement fatigante, vous ne vous sentez que le courage de préparer un « plateau-télé » afin, justement, de laisser votre stress s'estomper devant le petit écran. Parfait. Mais sachez que cela ne prendra pas plus de temps de mettre un joli set sur le plateau et de présenter les différents petits restes et « grignotages » comme s'il s'agissait de mets choisis, sur un lit de salade, par exemple. D'autres soirs encore, la seule perspective du « plateau-télé » vous donnera envie de vous coucher sans manger! Dans ce cas, il y a trois solutions: demander que l'« on » vous prépare un dîner-surprise, appeler un traiteur ou aller au restaurant!

3. DIVERSIFIEZ VOS PETITS DEJEUNERS

Pendant que les autres pays du monde entier rivalisent d'imagination à l'heure du petit déjeuner, nous, en

France, nous le prenons hirsutes, débraillés, empâtés, d'une humeur souvent maussade. Et encore faut-il s'entendre sur le mot « prendre »! Le Comité d'Education pour la Santé et la firme Kellogg's ont réalisé un sondage très instructif sur nos habitudes alimentaires matinales... Un Français sur cinq, et 16 % des enfants de moins de 16 ans, ne prennent pas du tout de petit déjeuner. Un sur deux boit du café. Parmi ceux qui « mangent quelque chose », 37 % choisissent le pain, 17 % le pain grillé, 20 % y ajoutent du miel, confiture ou pâte à tartiner. Quant aux petits croissants du dimanche matin ou de la nuit à l'hôtel, ils ne concernent que 5 % d'entre nous. Ces résultats consternants ne sont pas surprenants quand on sait que la majorité des accidents du travail ont lieu vers 11 heures du matin, ainsi que les crises de migraine, maux de tête ou autre « coup de barre » : la juste rançon des petits déjeuners bâclés ou négligés. Et puis, en dehors même de ces importantes raisons de santé, ne serait-ce pas plus sympathique de se retrouver le matin autour d'une vraie table mise, coiffés, rafraîchis et le sourire aux lèvres? Dès demain matin, instaurez l'ère des nouveaux petits déjeuners.

Si vous avez peur d'être trop embrumé, le matin, pour dresser une jolie table, faites-le la veille. Disposez les tasses à déjeuner, bols à céréales, petites assiettes, verres, couverts, notamment des couteaux à beurre, le sucrier... sans oublier la nappe et les serviettes! Le matin, vous n'aurez alors qu'à disposer les aliments, le pain, le beurre (pas trop dur...) dans son beurrier et des boissons, café, thé ou chocolat, pot à lait, jus de fruits dans une carafe, etc.... Quelques détails viendront s'ajouter à la composition de base de la table, suivant le type de petit déjeuner que vous proposez.

- A l'Anglaise : une tasse de thé au réveil, pour réhydrater l'organisme, puis on se retrouve autour de la table familiale. Le mot « Breakfast », en anglais, est composé de « break » (casser) et de « fast » (jeûne). Il s'agit donc d'interrompre le jeûne forcé de la nuit. Le matin, Outre-Manche, commence donc par un vrai repas. Cornflakes dans du lait, saupoudrés de sucre, présentés dans des assiettes creuses ou des bols à céréales. La boîte de cornflakes n'a rien à faire sur la table ! Ensuite viennent les œufs, pochés, à la coque ou au plat, accompagnés du traditionnel bacon. Puis les toasts, le beurre et la marmelade d'orange, de citron ou de gingembre, puis quelques muffins, scones ou buns (pâtisseries anglaises). Le tout servi avec du jus d'orange frais et du thé. Si vous préférez le café, libre à vous...

Sur la table, n'oubliez pas la salière et le poivrier, les coquetiers et des petites cuillères (ou cuillers, comme il vous siéra), de préférence en os, corne, bois, acier... voire en plastique avec un manche en argent !

- A la Scandinave : les produits de la mer y sont à l'honneur, même au petit déjeuner. Saumon fumé et œufs de poisson garnissent des crackers ou des petits sandwiches. Fromages à pâte cuite accompagnent des tranches de pain de seigle aux grains entiers. Pain d'épice et « Danish pastry » (chaussons fourrés de confiture, de fruits secs ou de crème d'amande) apportent leur note sucrée. Le tout servi avec du thé ou du café au lait. Réservez ces petits déjeuners particulièrement nutritifs pour les matins de plein hiver.

Sur la table, qui dit produits de la mer et pain, dit obligatoirement beurre.

Pour qu'il soit plus facile à tartiner, posez votre pain sur une plaque à tartiner (planchette décorée en porcelaine, faïence ou bois, etc.) qui permet de beurrer plus facilement que sur votre assiette. Et vos biscottes resteront enfin entières ! Ce détail trouvera également sa place sur la table du petit déjeuner germanique ou néerlandais.

- **A l'Italienne**: outre l'incomparable capuccino, on y savoure des pâtisseries et des petits sandwiches au fromage, au jambon ou à la mortadelle. Les petits déjeuners sardes, quant à eux, ressemblent beaucoup à notre traditionnel café au lait-tartines beurrées, mais s'agrémentent d'un fruit ou d'un morceau de tome de brebis.

  Sur la table, n'oubliez pas la petite assiette et le couteau, à côté de chaque tasse à déjeuner.

- **A la Hollandaise**: Gouda, Edam ou mimolette occupent une place de choix sur les tables matinales néerlandaises. Ils sont présentés en tranches fines, sur du pain de mie, complet ou de campagne. Jus de fruits, céréales et café au lait accompagnent le tout. Des œufs viennent en plus, lorsqu'il fait très froid.

  Sur la table, présentez le fromage sur un plateau ou une assiette, avec une pelle (ou rabot) à fromage. C'est une petite pelle, séparée dans sa largeur par une lame (comme un rabot), et qui permet de découper de fines tranches de ces délicieux fromages hollandais.

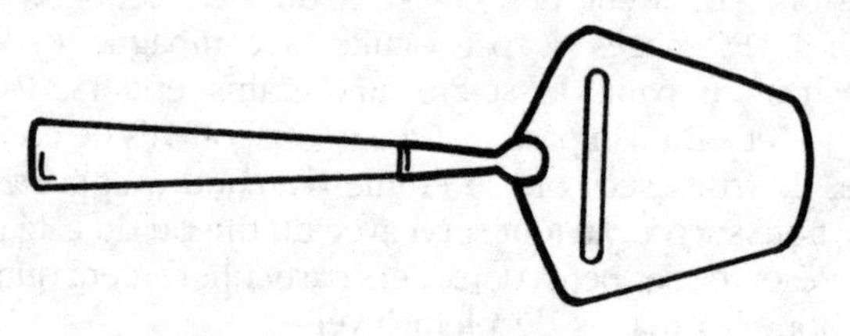

Pelle à fromage

- **A la Grecque**: un mélange de saveurs ensoleillées, avec tomates fraîches, fromages de brebis ou de chèvre, courgettes ou aubergines confites, confiture de pastèque, de melon ou d'abricot, fruits frais, yaourts au miel... Le tout servi avec du café.

  Sur la table, multipliez les ramequins et raviers pour multiplier les goûts.

- **A l'Allemande** : si la table du petit déjeuner germanique offre une large palette de goûts différents, attention, toutefois, aux surprises sur la balance ! Charcuteries variées et pains de toutes sortes (au cumin, au sésame, noir, etc.) mettent l'eau à la bouche. Le jour où vous opterez pour ce petit déjeuner-là, préférez les charcuteries allégées ! Le tout est servi avec du café ou du thé au lait, et du lait chocolaté pour les enfants. Sur la table, on l'a vu, instaurez la plaque à tartiner.

On pourrait ainsi faire le tour du monde des petits déjeuners et trouver encore mille idées savoureuses. A vous de les découvrir, au fil de vos voyages et de vos lectures. Mais il y a une chose dont il faut que vous soyez dès aujourd'hui persuadé, c'est que le petit déjeuner devrait représenter 20 à 25 % de notre ration énergétique quotidienne, qu'il doit donc être suffisamment copieux et, surtout, équilibré, avec des glucides ou sucres lents (céréales, pains au choix), des protéines (lait, yaourts, fromage blanc ou à pâte cuite, œufs, jambon), des fibres et des vitamines (fruits, compote), sans oublier les liquides : jus de fruits, café, thé, chocolat, ou même simplement un verre d'eau. Quant aux bonnes petites choses telles que confiture, miel, marmelade, etc., elles ne sont pas essentielles pour la santé, seulement pour le plaisir !

4. INSTAUREZ LE BRUNCH DU DIMANCHE MATIN

Parmi vos souvenirs d'enfance, n'avez-vous pas en mémoire les inévitables et interminables déjeuners familiaux du dimanche midi ? On sortait de table tellement lourd et tellement tard que la journée était « fichue ». Heureusement, certaines traditions se perdent, et notamment celle-là ! Après une délicieuse grasse matinée, on se prépare un non moins délicieux brunch, et on peut filer, le corps et le cœur léger, faire une promenade en forêt ou une balade à vélo.

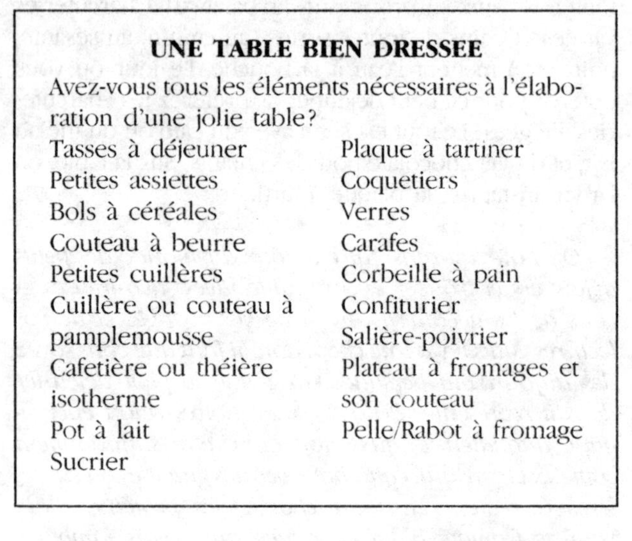

UNE TABLE BIEN DRESSEE

Avez-vous tous les éléments nécessaires à l'élaboration d'une jolie table?

Tasses à déjeuner
Petites assiettes
Bols à céréales
Couteau à beurre
Petites cuillères
Cuillère ou couteau à pamplemousse
Cafetière ou théière isotherme
Pot à lait
Sucrier

Plaque à tartiner
Coquetiers
Verres
Carafes
Corbeille à pain
Confiturier
Salière-poivrier
Plateau à fromages et son couteau
Pelle/Rabot à fromage

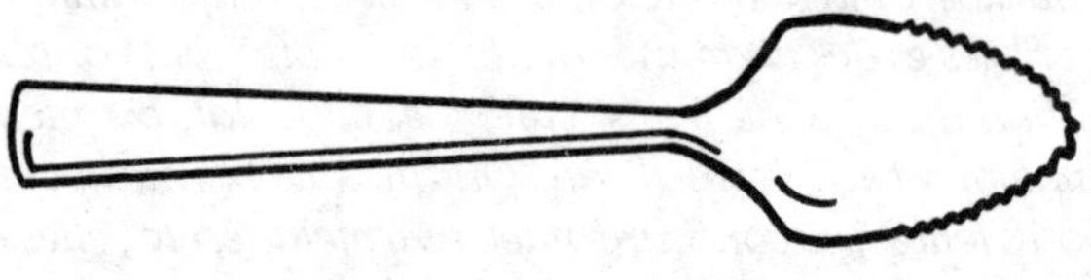

Cuillère à pamplemousse

Le mot brunch est la contraction anglo-saxonne de breakfast (petit déjeuner) et lunch (déjeuner). C'est donc un repas suffisamment consistant, mais composé de ce qui appartient traditionnellement au petit déjeuner (voir paragraphe précédent). Le secret d'un brunch réussi, c'est la variété de ce que vous mettez sur la table, comme un buffet, aussi bien pour les céréales, les laitages, les fromages, les œufs, les viandes froides, les pains (inspirez-vous des petits déjeuners étrangers et de leur variété), que pour les choses sucrées, les fruits et les boissons. Chacun se servira librement, selon ses goûts et ses envies. Ce qui simplifiera la vie de la maîtresse de maison par la même occasion ! Pensez aussi à préparer des cocktails de fruits frais, servis dans des carafes. Le brunch est un repas de douceur qui s'avale avec délice. Vous ne lui trouverez aucun détracteur !

5. AGREMENTEZ VOTRE CUISINE

La cuisine est redevenue une véritable pièce à vivre. Tant mieux, car le temps qu'on y passe ne doit pas être du temps volé à la vie. Il peut aussi être un temps de plaisir. Pour cela, peut-être devez-vous faire quelques aménagements.

- **Le matériel**

Bien sûr, plus vous aurez d'appareils performants, moins vous perdrez de temps pour les tâches les plus ingrates, et plus ce temps gagné sera vraiment le vôtre. Pensez notamment aux plaques de cuisson en vitrocéramique : elles permettent une cuisson rapide et précise, et se nettoient en un clin d'œil. Pensez aussi à cette formidable invention qu'est le four à micro-ondes. Nous sommes de plus en plus nombreux à succomber à ses charmes. Il existe aujourd'hui une grande variété de cocottes, assiettes carrées et plats décoratifs spéciaux, avec couvercles car, au micro-ondes, certains aliments ont tendance à « exploser » lorsque le temps de cuisson n'est pas parfaitement minuté. Attention aussi au métal qui est l'ennemi mortel de ces fours. Combien de femmes de chasseurs se sont laissées surprendre par un canard qui avait du « plomb dans l'aile » ! Même les assiettes à filet or ou platine (à base de métal) ne vont pas au micro-ondes. Quant aux fours traditionnels, là aussi, les porcelainiers rivalisent d'imagination pour nous proposer des plats en porcelaine à feu, de plus en plus jolis, allant du four à la table.

• **Pensez aux petits détails**

Ce sont eux qui donnent la note chaleureuse transformant une pièce fonctionnelle en pièce où l'on se sent bien. L'éclairage, tout d'abord. Votre cuisine mérite mieux qu'un plafonnier qui diffuse une lumière triste. Des points lumineux ponctuels, avec en plus une petite lampe, feront la différence. Pensez également à garnir vos étagères ou votre vaisselier de jolis pots à épices, d'assiettes différentes que vous aimez particulièrement (également sur les murs), d'une collection de coquetiers, de boîtes anciennes ou de carafes et, pourquoi pas, d'un tendre bouquet de fleurs séchées dans votre vase préféré.

10 DÉTAILS QUI CHANGENT TOUT

— **P**résentez vos confitures dans des confituriers, en cristal, en céramique ou en métal, plutôt que dans leur pot d'origine.

— **M**ettez votre sucre dans un sucrier avec couvercle, ou dans une saupoudreuse.

— **M**ême si vous n'avez pas de lave-vaisselle, n'hésitez pas à utiliser une petite assiette ou un plat supplémentaire. C'est tellement plus agréable de déguster un aliment bien présenté, plutôt qu'enveloppé dans son emballage d'origine.

— **Q**u'y-a-t-il de plus doux que l'éclairage à la bougie ? Offrez-vous (ou faites-vous offrir) des chandeliers ou, simplement, des petits bougeoirs en cristal, en faïence, en porcelaine, en étain ou en métal argenté, qui donneront une note différente au décor de votre table.

– **L**e beurre sur la table, oui, mais dans un joli beurrier couvert : il gardera ainsi toute sa saveur car il sera protégé des autres odeurs du réfrigérateur.

– **U**ne cloche à fromage, n'est-ce pas beaucoup plus sympathique que ces papiers d'emballage qui prennent de la place et laissent, pour certains, quelques odeurs, et collent aux fromages ?

– **F**ini les boîtes de sel et de poivre sur la table. Alors qu'il existe de si jolies salières et un choix infini de moulins à poivre ! Vous pouvez même pousser le raffinement jusqu'à « investir » dans un moutardier... à condition de changer la moutarde régulièrement !

– **R**éservez les serviettes en papier pour les pique-niques, les goûters d'enfants, les buffets, et le rouleau de papier ménager pour la cuisine. Sur une jolie table, rien ne remplace les serviettes en tissu.

– **D**ès que vous le pouvez, relancez la mode du « five o'clock tea », au charmant accent british. De jolies tasses, même différentes, mais qui s'harmonisent entre elles, une théière raffinée, quelques petits gâteaux dans l'une de vos assiettes préférées... Un vrai moment de plaisir.

– **P**renez l'habitude de changer de modèles d'assiettes au moins pour le dessert.

Le plaisir de recevoir

*« Les Sybarites priaient les gens
à manger un an avant
le jour du repas »*

FONTENELLE

Cette nouvelle façon de voir la vie au jour le jour, doit être encore plus présente lorsqu'on reçoit. Ouvrez votre porte et votre table, ne laissez passer aucune occasion et même, inventez-en ! Aujourd'hui, on ne reçoit plus parce qu'on est obligé de le faire, fidèle aux traditions ou aux conventions, on reçoit pour le plaisir, le sien et celui des autres. Et pour prouver sa sincérité et son amitié, on sort ce que l'on a de plus joli et on crée un vrai moment de fête, que ce soit à l'improviste ou lors des dîners les plus importants. Comme ce n'est pas obligé, c'est beaucoup plus agréable !

L'ART DES INVITATIONS

Si vous souhaitez lancer des invitations dans les règles de l'art, sachez qu'il faut prévenir vos invités au moins huit jours à l'avance, soit par téléphone, soit par un petit mot, soit encore par des cartons imprimés pour les grandes occasions. Vos invités doivent obligatoirement vous répondre, par le moyen de leur choix, pour que vous sachiez précisément combien vous serez à table. Evitez les vendredis 13 et les treize à table, pitié pour vos amis superstitieux!

Si vous souhaitez inviter de façon originale, inspirez vous du billet que la chanteuse Sophie Arnoult envoya à Voltaire:

« Monsieur, faites moi la grâce de venir demain dîner chez moi. Vous ne vous amuserez certes pas beaucoup, parce que je n'ai pas d'esprit, mais votre visite me permettra d'en avoir le lendemain, car j'ai bonne mémoire. »

1. UNE BELLE TABLE ET C'EST LA FETE!

Voici les règles d'or pour dresser les plus accueillants des couverts.

- <u>**Les éléments de base**</u>

Commencez par mettre un molleton sur la table (pour le confort) et recouvrez-le d'une nappe en harmonie avec les assiettes choisies. Faites attention aux couleurs et aux mélanges. Repassez bien les plis, équilibrez les pans tout autour de la table et centrez les motifs de la nappe, s'il y en a.

Ensuite, disposez les assiettes. D'abord celles de présentation, que certains fabricants ont joliment baptisées « assiettes de bienvenue ». Il s'agit de ces grandes sous-assiettes qui ont le triple avantage de protéger la table lorsqu'on y pose des assiettes chaudes, d'éviter que la table soit dégarnie entre les plats et d'offrir une touche de raffinement supplémentaire. Choisissez-les, bien sûr, en harmonie avec les assiettes, que vous poserez dessus.

Laissez environ quarante centimètres entre les couverts de chaque invité. Les grands restaurateurs ont donné le ton du raffinement dans leur établissement... suivons leur exemple ! Ils ont ainsi mis à la mode les « assiettes américaines » (plates, rondes de 27 cm ou ovales) qui permettent de se surpasser dans la présentation des plats individuels.

Passez maintenant aux couverts. Le couteau doit être placé à droite de l'assiette, la lame tournée vers elle, et la fourchette à gauche, la pointe des dents reposant sur la nappe (à la française) ou pointes tournées vers le haut (à

à la française

à l'anglo-saxonne

l'anglo-saxonne). Vous pouvez également mettre des porte-couteaux (sans y faire reposer les couteaux pour l'instant car ils sont propres !) et, si vous servez du poisson, même du saumon fumé, des couverts à poisson, placés de part et d'autre des grands couverts. Si vous servez du potage, la cuillère doit être posée à droite... car il y a un pourcentage écrasant de droitiers ! Si vous avez prévu un plat en sauce, sachez qu'il existe maintenant des cuillères spéciales, dites cuillères à sauce individuelles, (ou cuillères « gourmet » en Allemagne) qui épargnent aux invités la tentation de « saucer » avec un morceau de pain. Les couverts à dessert ne doivent apparaître, en principe, qu'au moment où l'on s'en sert.

Quant aux verres, ils doivent (bien sûr) être d'une propreté absolue !! Un petit truc : faites les sécher à l'envers sur une serviette éponge. Si le verre à vin blanc est facultatif, il est indispensable de prévoir au moins un verre à eau et un verre à vin rouge. Le plus grand, celui à eau, se place à gauche du plus petit.

Les serviettes doivent être assorties à la nappe, en tissu, soit du même service, soit d'une couleur unie, en harmonie. Vous pouvez les présenter pliées dans l'assiette, ou simplement posées à gauche. Le sel et le poivre doivent figurer sur la table, dans de jolis contenants, à chaque bout de table si vous avez de nombreux invités (à partir de huit).

COMMENT SERVIR LE PAIN

Tout d'abord, pensez à proposer plusieurs variétés de pain et prévoyez une petite assiette pour chaque invité, en haut et à gauche du couvert, afin d'éviter que la nappe ne soit constellée de miettes... De plus, c'est une touche de raffinement. Le pain en baguette doit être servi déjà coupé en biseau (au dernier moment) dans une corbeille recouverte d'un petit linge blanc.

- **Les accessoires qui font la différence**

Vous pouvez décorer votre table avec des fleurs et des bougies flottantes dans un saladier ou une coupe à punch, ou tout simplement dans leur bougeoir.

Attention aux grands bouquets qui obligeraient les invités à se contorsionner pour se voir et se parler. Préférez plutôt la solution des centres de table ou des petits bouquets individuels, à disposer en haut et à droite de chaque couvert.

Les rince-doigts sont indispensables si vous servez des fruits de mer, des coquillages, des crevettes ou des langoustines. Ne les mettez sur la table qu'au moment de s'en servir car l'eau doit en être tiède. Quelques gouttes de citron dans chaque et un pétale de fleur prouveront votre sens du raffinement.

Si, parmi vos invités, vous avez des fumeurs invétérés, prévoyez des petits cendriers de table, mais ne les proposez qu'au moment du dessert pour ne pas indisposer les anti-tabac.

LES ACCESSOIRES EN DÉTAIL

— Dessous de plat.
— Dessous de bouteille.
— Chauffe-plat.
— Rince doigts.
— Salière-poivrier.
— Moutardier.
— Huilier-vinaigrier.
— Ramasse-miettes
— Assiette à pain.
— Corbeille à pain.
— Carafe à décanter.
— Aiguière.
— Rafraîchissoir.
— Cendriers de table.
— Bougeoirs.
— Chandeliers.
— Vases individuels.
— Centre de table.

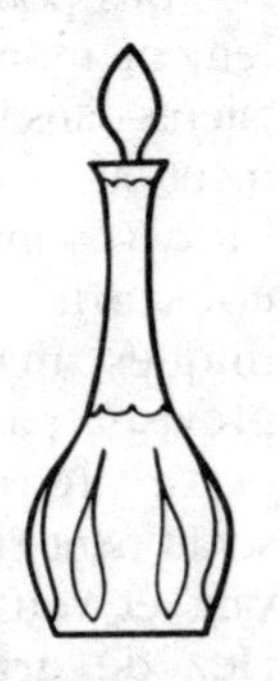

Carafe à décanter

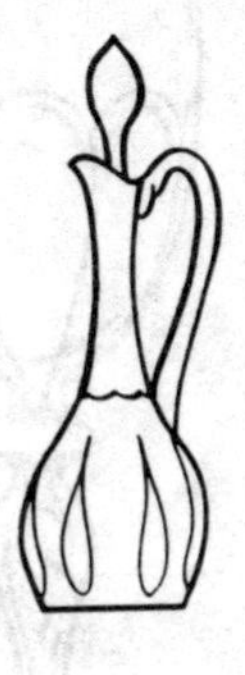

Aiguière

2. L'ACCUEIL DES INVITES, L'APERITIF

Lorsque vos invités arrivent, débarrassez-les de leur manteau, imperméable, parapluie, chapeau, éventuels paquets, et faites-les asseoir dans le salon, non sans avoir présenté entre elles, auparavant, les personnes qui ne se connaissent pas... dans les règles de l'art ! En principe, on présente toujours un homme à une femme et la personne la moins âgée à la plus âgée. Au moment d'établir votre liste d'invités, retenez cette maxime qui est le secret des réceptions réussies : « Que chaque invité connaisse quelqu'un, mais qu'aucun invité ne connaisse tout le monde ».

Pour servir les apéritifs, n'attendez pas que tous vos invités soient arrivés, les ponctuels seraient pénalisés par les retardataires et une ambiance chaleureuse doit s'installer immédiatement. Il existe un choix immense de boissons alcoolisées agréables à boire avant un repas, mais n'en oubliez pas pour autant les jus de fruits et autres boissons sans alcool. Accompagnez les de petits biscuits, cacahuètes et tous les assortiments à votre goût, présentés dans de jolis petits plats , raviers ou coupelles.

Verre

Vous pouvez également montrer vos talents dans le maniement du shaker et offrir à vos invités des cocktails sympathiques, mais n'improvisez pas de recette : le résultat serait peut être décevant et vous risqueriez de griser vos amis avant même le début du repas ! Leur palais doit être intact pour déguster votre cuisine...

Aujourd'hui, le champagne est à la mode pour l'apéritif. Il est vrai qu'on le déguste alors mieux qu'en fin de repas.

Il se sert frais mais non glacé, dans des coupes, des flûtes, ou mieux, des verres à champagne qui préservent intacte sa saveur.

Flûte

On peut y ajouter toutes sortes de liqueurs : cassis, framboise, pêche ou mûre. Les coupes à champagne peuvent aussi servir à présenter sorbets ou fruits rafraîchis.

Ne laissez pas s'éterniser l'heure de l'apéritif afin de ne pas couper l'appétit à vos invités, et proposez-leur de passer à table.

Coupe

UN CHOIX INFINI DE VERRES

Pour le vin

- Verre à Bordeaux
- Verre à Bourgogne
- Verre à Vin du Rhin
- Verre à Riesling
- Verre à dégustation
- Verre ou Gobelet à Porto
- Flûte à champagne
- Coupe à champagne
- Verre à champagne

Pour les alcools et liqueurs

- Verres à Cognac (ou verres ballon, plusieurs tailles)
- Verre à cocktail
- Verre à liqueur
- Gobelet à liqueur
- Verre à vodka
- Coupe à cerise
- Verre à whisky

Pour la bière

- Verres et chopes de différentes formes et tailles.

Les pièces en plus

- Carafe à décanter
- Carafe à vin
- Carafe à liqueur
- Carafe à whisky
- Aiguière
- Broc à eau
- Seau à glace
- Verres à orangeade (ou Long Drink)
- Glacette (pour maintenir le vin frais.)
- Seau à champagne
- Seau à accumulateur de froid
- Rafraîchissoir
- Pichet
- Dessous de verres

OU PLACER QUI ?

Pour placer vos invités dans les règles de l'art, sachez que les places d'honneur sont à droite, puis à gauche du maître et de la maîtresse de maison. S'il n'y a qu'une personne à privilégier, il faut la placer à droite de la maîtresse de maison si c'est un homme, et à droite du maître de maison si c'est une femme. Si un ecclésiastique fait partie de vos invités, c'est à lui que revient d'office la place d'honneur. Si aucun de vos invités ne mérite plus qu'un autre d'égards particuliers, vous donnerez « la » place à la personne que vous invitez pour la première fois, ou à la personne la plus âgée. Pour les autres invités, l'usage veut que l'on intercale un homme et une femme, et que l'on sépare les maris de leur femme, sauf s'ils sont mariés depuis moins d'un an, auquel cas ils pourront être placés côte à côte. Si vous courez le risque d'inviter deux personnes dont vous connaissez les divergences d'opinion, placez-les le plus loin possible l'une de l'autre au cas où elles perdraient leur sang-froid. Toutefois, mieux vaut éviter ce genre de risque...

3. UN REPAS BIEN ORCHESTRE

De l'entrée au dessert, les maîtres de maison doivent être attentifs au bien-être de leurs invités et devancer leurs désirs. Le rythme est le secret de toute bonne partition musicale. Pour qu'il soit bien orchestré, le repas doit se plier à cette règle : les plats s'enchaîneront ni trop vite (pour avoir le temps d'apprécier les goûts différents) ni trop lentement (pour ne pas couper l'appétit des convives). Changez d'assiettes entre chaque mets et, pour les plats chauds, prévoyez de faire chauffer auparavant les assiettes. Seule la salade peut être servie dans la même assiette que le plat principal ou, mieux encore, dans une assiette spéciale placée à gauche. Pour les salades composées, en entrée, il existe maintenant des bols à salade ou assiettes calottes qui peuvent également servir pour le potage, les salades de fruits voire les céréales...

- **Savoir utiliser les couverts sans fausse note**

Avant tout, il faut savoir qu'en principe, la maîtresse de maison les place, de part et d'autre de l'assiette, dans l'ordre de leur utilisation.

La cuillère à potage — s'utilise par le bout, ou par le côté, comme dans les pays anglo-saxons. Ne soufflez pas sur le potage s'il est trop chaud, attendez qu'il refroidisse un peu.

La fourchette — se tient de la main droite si vous l'utilisez seule, et de la main gauche avec un couteau.

Le couteau — se tient toujours de la main droite (sauf si vous êtes gaucher) en appuyant l'index sur le haut de la lame, sans dépasser la virole. Ne le tenez pas comme un stylo et ne le mettez jamais à la bouche, même pour un morceau de fromage. Le couteau ne s'utilise en principe pas pour les œufs, les gâteaux ou le pain, ni pour la salade. Encore que, pour ce dernier point, les lames étant aujourd'hui en acier inoxydable, le vinaigre n'a plus ses effets redoutables et cette convention n'est plus de rigueur.

Les couverts à poisson — s'utilisent comme des couverts ordinaires, si ce n'est que la large lame du couteau permet de bien découper les filets du poisson, en partant de l'arête dorsale. Une fois qu'ils sont dégustés d'un côté, on retourne le poisson en s'aidant du couteau et l'on recommence de l'autre côté.

La fourchette à escargots — et la pince sont indispensables si vous avez décidé d'offrir ces gastéropodes à vos invités. Mais ne le faites pas sans vous être assuré au préalable qu'aucun de vos amis n'est réfractaire à l'ail ou à l'animal !

La fourchette à huîtres — est très utile de par son côté tranchant. Si vous n'en avez pas, vous pouvez proposer des fourchettes à gâteau (en attendant mieux...)

La fourchette à homard — très longue et très fine, permet de déloger les moindres petits bouts de chair des différents animaux marins à pinces.

Le couvert à dessert — se compose de trois pièces : le couteau, la fourchette et la cuillère. Le couteau et la fourchette servent pour le fromage et les fruits (encore que la fourchette ne soit utile que pour les gruyères et le chester). Quant à la cuillère, elle sert pour les entremets et les pâtisseries.

La cuillère à café — sert plutôt pour le thé alors que c'est la cuillère à moka, plus petite, qui accompagne les tasses à café.

La cuillère à glace — extra-plate, est le meilleur « outil » pour apprécier toute la saveur de la glace.

La fourchette à gâteau — peut remplacer la fourchette à dessert et sera la bienvenue pour déguster les douceurs des « five o'clock tea ». Curieusement, les gâteaux ont meilleur goût à la fourchette qu'à la cuillère !

UN SIGNE QUI NE TROMPE PAS

Dès que l'on a terminé un plat, on pose ses couverts dans son assiette, parallèlement, sans les croiser, les pointes de la fourchette tournées vers le centre de l'assiette. Entre deux bouchées, on peut poser la lame de son couteau sur le porte-couteau.

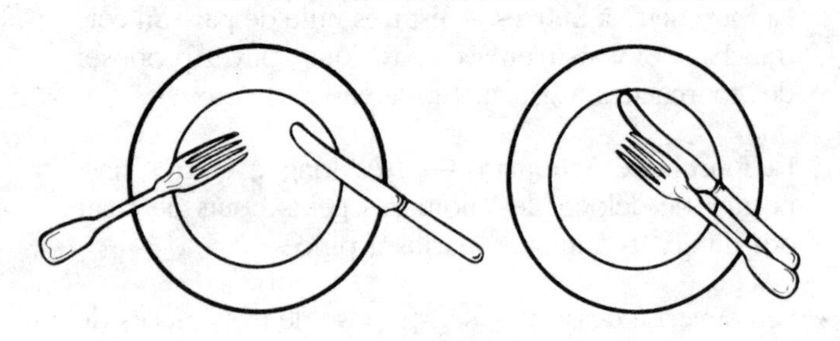

A ne pas faire *A faire*

- **Un service raffiné**

Vous vous êtes donné du mal pour élaborer des recettes savoureuses ou proposer des aliments originaux. Présentez-les donc avec le plus grand soin, dans des plats coordonnés à votre service de table ou des plats spécialement adaptés (pour les asperges, par exemple, ou les avocats, les fruits de mer, le potage, les légumes, la sauce etc.). Les saveurs seront encore réhaussées par une belle présentation.

Au cours du repas, faites passer les plats pour que chacun se serve, les dames d'abord, en commençant par la femme qui se trouve à droite du maître de maison. Cette façon de faire le service ne convient que si le plat n'est pas trop lourd. Sinon, mieux vaut adopter la méthode anglaise : l'un des maîtres de maison fait lui-même le service. Toutes les assiettes chaudes sont empilées devant lui et il sert chaque convive, l'un après l'autre, en commençant toujours par les femmes et les invités de marque.

LE VIN COMME IL SE DOIT

« *L'alcool est le monarque des liquides.* »
BRILLAT-SAVARIN

S'occuper du vin est une tâche qui revient traditionnellement au maître de maison. Les vins rouges sont à servir à température ambiante, mais plutôt à 18 °C maximum, débouchés à l'avance et décantés pour ceux qui ont plus de dix ans. Ils pourront ainsi « respirer ». Les blancs sont à servir frais, au dernier moment.
Si vous offrez un grand vin, placez le bouchon à côté de la bouteille. Pour le servir, tenez la bouteille par le corps et non le goulot, et ne le posez pas sur le bord du verre. Commencez par vous servir un fond de verre afin de recueillir les éventuels petits débris de bouchon et goûtez-le ! Ne remplissez jamais les verres à plus des deux tiers, le bouquet du vin ne pourrait s'épanouir. Chaque invité doit légèrement soulever son verre au moment où on le sert. En revanche, il ne doit pas tendre son verre ni se servir lui-même. A vous donc de veiller à ce que chacun ait à boire. Mais ne remplissez pas des verres à moitié pleins, cela donnerait l'impression que vous voulez enivrer tout le monde ! Par contre, si vous servez un nouveau vin, demandez que chacun finisse son

verre afin de ne pas mélanger les crus. N'insistez pas si quelqu'un refuse que vous le resserviez, même si vous offrez un vin exceptionnel, c'est très impoli. En revanche, veillez bien à ce qu'il y ait toujours de l'eau fraîche sur la table, de préférence dans un joli broc. L'eau est faite pour désaltérer, le vin pour être dégusté. Mais personne ne mettra d'eau dans son vin... Quant aux verres, sachez que les verres à Bourgogne sont plus « ventrus » que les verres à Bordeaux. Le verre à Porto, plus petit, peut éventuellement figurer sur la table, si son usage se justifie, avec du jambon de Parme, par exemple, ou avec des fromages. N'oubliez pas le verre à vodka pour un dîner scandinave.

Bourgogne *Bordeaux* *Porto* *Institut National des Appellations d'Origine*

Le nécessaire pour servir le vin

— Carafe à décanter.
— Thermomètre à vin.
— Tire-bouchon de qualité. (qui n'abîme pas les bouchons)
— Entonnoir (avec filtre, pour remplir la carafe).
— Carafe à vin.

— Seau à accumulateur de froid.
— Aiguière.
— Pique-bouchon (quand on sert un bon vin dans une carafe et qu'on veut que cela se sache!)

Bouteilles: Le secret des tailles
Quart: 20 cl
Demi: 37,5 cl
Médium: 60 cl
Bouteille: 75 cl
Magnum: 2 bouteilles / 150 cl
Jeroboam: 4 bouteilles / 300 cl
Réroboam: 6 bouteilles / 450 cl
Mathusalem: 8 bouteilles / 600 cl
Salmanazar: 12 bouteilles / 950 cl
Balthazar: 16 bouteilles / 1300 cl
Nabuchodonosor: 20 bouteilles / 1600 cl

- **Desservir: discrétion oblige!**

Certains plats, comme les volailles, les poissons, les coquillages ou mêmes certains légumes, laissent inévitablement quelques reliefs dans les assiettes. Au moment de débarrasser, vider les assiettes les unes après les autres dans l'une d'elles n'est pas très élégant. Le mieux est donc d'avoir un plat creux ou un saladier à portée de la main, sur une desserte ou la table roulante, et d'y vider discrètement les déchets avant d'empiler les assiettes. Il existe également, chez les porcelainiers, des « ramasse-couverts », un panier qui permet de récupérer les couverts utilisés.

- **L'heure bénie du dessert...**

Plus rien de ce qui appartient au « salé » ne doit rester sur la table au moment du dessert. Doivent donc disparaître les assiettes et les couteaux à fromage, le sel, le poivre, le pain et même les miettes que vous aurez enlevées avec une serviette ou, mieux, un ramasse-miettes. Disposez sur la table vos assiettes et couverts à dessert, laissez les boissons et apportez votre chef-d'œuvre.

Tartes et gâteaux doivent arriver sur la table entiers, non découpés en parts, au préalable, à la cuisine. Le dessert, c'est le bouquet final, l'apothéose ! Alors, soignez particulièrement sa présentation, car il existe autant de plats de service que de types de gâteaux (plat à tarte, à cake, à gâteau...) D'ailleurs, le plat à tarte, entièrement plat, fait un excellent plateau à fromage. Sans oublier les pelles ou couteaux à tarte, ainsi que les jattes à crème ou à fruits.

Une fois le repas terminé, la maîtresse de maison se lève et annonce à ses invités que l'on passe au salon (chacun peut le dire dans son langage, il n'y a pas de formule consacrée !) Cela signifie que l'on va boire le café, déguster alcools et liqueurs, et pouvoir allumer son cigare, pour les amateurs. Le café doit toujours être servi au salon sauf, exceptionnellement, si la conversation a pris un tour tellement passionnant et enflammé qu'il serait dommage de risquer de l'interrompre, en créant une diversion.

4. LE CAFE ET LES LIQUEURS

Contrairement au vin à table, qui était servi par le maître de maison, c'est à la femme que revient le devoir de servir le café... Mais celui ou celle, parmi les invités, qui désirera une seconde tasse, pourra le demander sans que cela soit impoli. Le sucre, présenté dans un sucrier, se prend en principe avec une pince à sucre. Mais cet ustensile n'est pas obligatoire et on peut se servir avec ses doigts. Toutefois, si vous ne souhaitez qu'un demi-sucre, ne remettez pas l'autre moitié dans le sucrier, mais déposez-la dans votre soucoupe.

Pour boire votre café avec élégance, ne laissez pas votre cuillère à moka dans la tasse, prenez la soucoupe et la tasse de la main gauche et portez la tasse à vos lèvres en tenant toujours la soucoupe de la main gauche (les gauchers pourront inverser le processus...). Inutile de lever le petit doigt en faisant fondre le sucre!

- **Les secrets d'un bon café**

Préparer un bon café, en exalter tout l'arôme, n'est pas aussi évident que cela. Il faut compter 10 à 12 grammes de café par tasse (10g = une cuillère à soupe bombée). Utilisez l'eau du robinet, plutôt que l'eau minérale, et faites-la chauffer, à peine frémir, mais pas bouillir, car cela renforce l'acidité de l'eau. Ensuite, humectez à l'eau froide le filtre en papier, mettez le café moulu et, dans le cas d'une cafetière manuelle, versez-y l'eau en plusieurs fois. Mais n'oubliez pas que la première condition pour avoir un bon café, c'est sa fraîcheur. N'achetez du café moulu que si vous le consommez régulièrement.

Pour préserver l'arôme volatil du café, un paquet sous-vide devrait être utilisé dans les dix jours suivant son ouverture et conservé dans une boîte ou un bocal hermétique, dans le bas du réfrigérateur. Vérifiez sur les emballages, au moment de l'achat, la date fraîcheur, pour ne prendre que du café au meilleur de sa forme.

Si par mégarde vous faites bouillir votre café, vous pouvez essayer de faire mentir la célèbre formule « café bouillu café foutu » en versant immédiatement un peu d'eau froide et en attendant quelques minutes avant de le servir.

Pour conserver du café chaud, le pichet isotherme convient parfaitement. Il en existe de toutes formes, de tous styles et de toutes couleurs. Mais ne le faites pas trop attendre car sa qualité peut s'émousser.

- **Les alcools et les liqueurs**

C'est de nouveau Monsieur qui travaille et demande à chaque invité ce qui lui ferait plaisir. Généralement, les hommes ont un petit faible pour les alcools forts comme le cognac, l'armagnac ou les eaux de vie de fruits. Quant aux femmes, elles ont la réputation de préférer les liqueurs, plus douces au palais. Elles se servent à la température de la pièce, parfois avec de la glace pilée pour les sucrées. Seules les eaux de vie se servent fraîches.

Pour que le service soit raffiné, présentez les liqueurs dans des flacons. Quant aux verres, ils seront de trois sortes : les verres à liqueur, les verres à whisky et les verres à cognac (qui conviennent aussi pour certaines liqueurs fortes comme le Cointreau ou la Bénédictine, ou les eaux de vie de fruits). N'oubliez pas le seau à glace.

- **L'art du cigare**

D'abord, on demande à l'entourage si la fumée du cigare ne le dérange pas, et on en offre à la ronde. Puis, on retire délicatement la bague et, sans glisser une allumette dans le cigare pour mieux le caler entre les dents, on coupe le bout avec un coupe-cigare ou à défaut, avec les dents. Ensuite, on l'allume avec une allumette, et non pas un briquet, et on fait en sorte de ne pas le laisser s'éteindre... Si cela arrive malgré tout, on ne doit, en principe, pas le rallumer, même si de nombreux fumeurs le font.

LE SIGNAL DU DEPART

Comment donner le signal du départ à ses invités, de la plus courtoise des façons, sans bâiller outre mesure ou dire que vous avez envie de dormir? En leur offrant des rafraîchissements lorsque vous considérez qu'il est temps de mettre un terme aux festivités, avant que tout le monde ne disparaisse dans les coussins du canapé. Sur votre table roulante, prévoyez divers jus de fruits, dans des carafes ou des brocs rafraîchisseurs, ou des sodas que vous proposerez dans des verres à orangeade, mais surtout plus d'alcool! Chacun, maintenant, doit retrouver les idées claires.

10 RÈGLES D'OR POUR BIEN RECEVOIR

— **S**i l'on vous apporte un cadeau, ouvrez-le immédiatement devant la personne qui vous l'a offert, admirez-le, félicitez la personne pour son choix et remerciez.

— **S**i l'on vous offre des gourmandises, ouvrez la boîte, offrez-en autour de vous et prenez-en une vous même. Montrez que vous savourez et remerciez. Quant aux fleurs, mettez-les dans un vase dès que vous aurez installé vos invités dans le salon.

— **D**ans la mesure du possible, invitez autant de femmes que d'hommes ou sensiblement.

— **S**i vous voulez vraiment faire les choses en grand, mettez, devant chaque assiette, un bristol avec le nom de la personne qui sera placée là et, éventuellement, le menu et les vins qui seront servis.

— **A**près l'apéritif, desservez pour ne pas retrouver les amuse-gueule au moment du café, et les cendriers trop pleins.

— **Q**uand tout le monde est servi, n'attendez pas que quelqu'un commence : tous les yeux sont (en principe...) braqués sur vous et attendent que vous entamiez votre plat avant de pouvoir le faire.

— **A** table, ne monopolisez pas la conversation, mais sachez la ranimer lorsqu'elle s'étiole ou la calmer lorsqu'elle s'envenime.

— **A**u menu, évitez les mets qui ne peuvent attendre (soufflé), qui ne font pas l'unanimité (préparations à l'ail, abats, poisson cru etc...) ou qui sont délicats à manger (artichauts).

— **E**vitez les plats qui demandent une longue préparation de dernière minute.

— **L**e potage ne passe qu'une fois (de même que le plateau de fromages) car en principe, à ce stade du repas, on n'est plus censé avoir faim à ce point-là.

— **A**u cours du repas, s'il vous arrive de faire une tache, étouffez l'incident le plus discrètement possible. En revanche, si c'est l'un de vos voisins qui est victime de votre maladresse, confondez-vous en excuses et allez chercher un peu d'eau chaude ou de détachant pour réparer les dégâts.

— **N**e faites pas la vaisselle pendant que vos invités sont au salon.

Le plaisir d'être reçu

Etre invité peut être aussi agréable que recevoir. Car, si vous n'avez pas le plaisir de penser au menu, de le préparer et d'organiser un décor accueillant, vous aurez celui de penser à ce qui pourrait bien plaire à vos hôtes comme cadeau. En effet, la fonction du savoir-vivre n'est pas d'embêter tout le monde avec des règles de « bonnes manières » héritées d'un autre temps, mais c'est de montrer aux autres l'affection ou l'intérêt qu'on leur porte.

1. LES BONNES REACTIONS QUAND ON VOUS INVITE

Ainsi, par exemple, si vous avez reçu un petit mot d'invitation à un prochain dîner, répondez très rapidement, le jour même si possible, par un petit mot ou un coup de téléphone.

N'HESITEZ PAS A VOUS EXCUSER

Si vous ne pouvez ou ne souhaitez pas accepter l'invitation qui vous est faite, exprimez vos regrets et invoquez une raison valable: qu'elle soit vraie ou non, personne ne cherchera à le savoir et vous aurez ainsi évité de blesser la personne qui vous aura invité. Vous pouvez aussi bien le faire par écrit que par téléphone. Ne vous inspirez pas du COMTE de GONTAUT-BIRON qui télégraphiait: « Impossible venir. Mensonge suit par lettre. » TRISTAN BERNARD, plus excessif encore envoyait un petit mot d'excuse ainsi libellé: « Non merci, je n'ai pas faim. »

- **Ne pas arriver les mains vides**

Quand on est invité pour la première fois chez quelqu'un, les manuels du savoir-vivre français vous enseignent que l'on doit arriver les mains vides. Voilà le genre de règles auxquelles il ne faut pas obéir les yeux fermés, mais que l'on doit oublier au fond de ces livres-là! Même sans connaître les personnes chez qui l'on va, est-il si difficile de leur faire plaisir? Bien sûr apporter une bonne bouteille serait indélicat car cela pourrait sous-entendre une peur de manquer ou une sorte de défiance envers vos hôtes. Mais en restant le plus neutre possible, vous ne courez aucun risque: des fleurs, des chocolats dans une jolie bonbonnière, des friandises etc., le choix est vaste. Dans le chapitre suivant, « Le plaisir de faire plaisir », vous trouverez une foule d'idées de cadeaux sympathiques à offrir, selon les circonstances. Vous découvrirez aussi le délicieux langage des fleurs et des façons originales de les disposer.

Si vous souhaitez offrir des fleurs lors d'une invita-

tion à dîner, sachez que trois solutions sont possibles. Soit vous les faites porter avant le dîner (ce qui permet à la maîtresse de maison de ne pas s'empêtrer dans les papiers et les rubans à l'arrivée des invités, et de décorer sa maison à l'avance), soit vous les apportez avec vous, si vous allez chez des intimes, soit enfin vous les faites livrer le lendemain pour remercier.

Lorsque que vous êtes invité quelque part, vous devez remercier vos hôtes en les quittant, mais aussi passer un petit coup de téléphone le lendemain, ou pour les réceptions plus mondaines, envoyer un mot.

- **Quand et comment rendre l'invitation**

Si vous avez accepté l'invitation, sachez qu'il est gentil de la « rendre », dans les deux mois suivant la fête, en organisant un dîner à votre tour et en y invitant les personnes qui vous ont reçu. Encore une fois, ce n'est pas une ennuyeuse règle de savoir-vivre, mais une façon agréable de consolider les liens qui ont pu se créer. Si vous vous êtes terriblement ennuyé la première fois et avez juré de ne jamais vous retrouver autour d'une table avec ces personnes-là, ne rendez pas l'invitation, ce sera le meilleur moyen de ne plus jamais les revoir ! Mais est-ce vraiment la bonne solution ?

Cette règle est plus souple en ce qui concerne les hommes vivant seuls, car on imagine (souvent à tort) leur désarroi devant les fourneaux. Toutefois, si leurs moyens le leur permettent, ils peuvent toujours rendre l'invitation au restaurant ! Il serait dommage de se voir attribuer une réputation de « pique-assiette ». Mais même sans être Crésus, on peut toujours trouver le moyen de faire plaisir, il suffit de le vouloir.

Le jour de l'invitation, à table, il existe un moyen très simple de remercier, c'est de faire honneur au repas, aussi bien en appréciant les mets et les vins qui vous sont servis, qu'en les dégustant dans les règles de l'art...

2. LES LOIS DE LA TABLE

« L'homme mange ; l'homme d'esprit seul sait manger. »

BRILLAT-SAVARIN

Bien se tenir à table, c'est savoir déguster les plats proposés, même si certains présentent parfois des difficultés ! (voir plus loin), mais c'est aussi appliquer un certain nombre de règles toutes simples, montrant que vous n'êtes pas seul au monde... Rassurez-vous, si vous ne savez pas manger les langoustines comme il se doit, personne ne vous en voudra, mais faire preuve de courtoisie est en revanche essentiel.

Par exemple, en arrivant à table, il est attentionné (pour un homme) d'aider ses voisines à s'asseoir, en tenant leur chaise. Une femme, elle, aidera une personne plus âgée, quel que soit son sexe. Mais personne ne s'asseyera avant que la maîtresse de maison ne l'ait fait. Une fois que vous êtes assis, ne vous balancez pas sur votre chaise, ne commencez pas à boire avant de manger, même si votre verre a été rempli, ne grignotez pas de pain (si vous êtes du genre à faire des « boulettes » avec la mie, débarrassez-vous de cette manie), attendez que tout le monde soit servi et que la maîtresse de maison ait commencé à manger avant de le faire vous-même. D'ailleurs, si vous avez le moindre doute sur la façon d'utiliser les couverts présentés sur la table, cela vous donnera l'occasion de prendre modèle sur elle !

Au cours du repas, ne vous montrez pas vorace et ne vous resservez pas de votre propre chef, attendez que la maîtresse de maison vous invite à le faire. Ne vous servez pas des portions pantagruéliques et ne choisissez pas systématiquement le meilleur morceau en disant d'une voix innocente : « Dieu me guide ! ». Prenez celui qui se trouve devant vous. Il n'est pas non plus courtois de manger à toute vitesse ou, au contraire, de faire attendre tout le monde. Enfin, même si vous n'avez pas une faim extraordinaire, ou si vous n'aimez pas le plat qui vous est servi, vous devez finir ce qu'il y a dans votre assiette. Il n'y a qu'au restaurant que ce n'est pas obligatoire.

- **Les aliments « à risques »**

Même quand on est entre intimes, il est plus agréable de manger proprement. Par respect pour les autres et pour soi-même. Inutile de donner une image incongrue de sa façon de manger! En revanche, nul besoin d'être expert dans l'épluchage d'un fruit avec le couteau et la fourchette, personne ne vous en tiendra rigueur. Toutefois, si vous voulez savoir comment les choses se mangent, pour ne pas risquer, un jour, de vous sentir mal à l'aise, suivez le guide!

Asperges — Elles sont présentées dans un plat spécial en deux parties. L'une, incurvée et percée de trous, reçoit les asperges qui s'égouttent dans l'autre partie: un plat creux. Dans les dîners intimes, on peut manger les asperges avec les doigts, à condition de le faire proprement, mais c'est exclu dans n'importe quel autre contexte. Vous devez couper l'asperge avec votre fourchette, l'humecter de sauce et la manger... en entier, car une bonne maîtresse de maison n'est pas censée éplucher ses asperges en laissant des parties dures! Au restaurant, cela peut arriver et vous pouvez en laisser sans offenser personne.

Brochettes — En prenant garde de ne pas faire d'éclaboussures, tenez d'une main la brochette et de l'autre, faites doucement glisser les aliments dans votre assiette en les piquant avec une fourchette.

Citron — On le presse avec les doigts, après l'avoir piqué avec sa fourchette, s'il est coupé en deux ou en quatre, mais avec le couteau s'il est servi en rondelles, avec du poisson par exemple.

Crustacés et coquillages – Les huîtres sont présentées soit dans des assiettes individuelles, soit dans un grand plat. Elles se mangent avec la fourchette à huître qui sert à la décrocher de sa coquille et à la porter à votre bouche. Vous pouvez boire le jus de la coquille (sans bruit). Quant au homard et à la langouste, dans les dîners très chics, ils se mangent avec les couverts à poisson... de même, hélas, que les langoustines ! Partout ailleurs, on peut utiliser les doigts et les outils adaptés : pince et fourchette à homard.

L'ART D'UTILISER LE RINCE-DOIGTS

Il ne s'agit pas d'une grande toilette... Vous trempez délicatement le bout de vos doigts dans le liquide citronné et vous essuyez directement avec votre serviette de table.

Desserts – Pour un entremet (œufs à la neige, charlotte, crème renversée), utilisez une cuillère à dessert. Pour les gâteaux, quels qu'ils soient, utilisez une fourchette à dessert ou à gâteau. Quant aux glaces, elles sont bien meilleures avec une cuillère à glace car sa forme plate permet de faire un dosage de bouchée plus agréable que la cuillère à café.

Escargots – Ils sont, le plus souvent, présentés dans des assiettes individuelles spéciales. La pince à escargots dans une main, vous emprisonnez la coquille et, de l'autre main, avec la petite fourchette spéciale (dite fourchette à escargots), vous extirpez la chair et la mangez. Mais vous ne gobez pas le beurre dans la coquille, sauf entre intimes. Eventuellement, vous piquez un petit morceau de pain.

Foie gras — Il se sert soit sur un plat lorsqu'il est frais ou entouré de sa gelée, soit dans une terrine. Ce mets exquis se déguste à la fourchette, car il n'est pas question de le tartiner ! S'il est servi en terrine, la maîtresse de maison place sur la table un pot d'eau très chaude avec une cuillère (la plus belle possible) dedans, comme le font les vrais connaisseurs, ou simplement un couteau, suivant la cuisson du foie gras. Après s'être servi, chacun remet le couvert dans l'eau.

Fromages — Ceux à pâte molle doivent être ouverts par la maîtresse de maison. Le gruyère, le roquefort et le brie se découpent dans le sens de la longueur (pour ne pas laisser la croûte au dernier qui se sert), le camembert et autres petits fromages ronds se découpent en quartiers. On coupe un peu de fromage avec le couteau, on le dépose sur un morceau de pain et on ne fait qu'une bouchée de l'ensemble. Pas de tartines !

Fruits — Normalement, on devrait les manger avec un couteau et une fourchette... Les pommes et les poires se coupent en quatre, se piquent avec la fourchette à dessert d'une main, se pèlent avec le couteau de l'autre, et se dégustent à la fourchette. Pour la pomme, moins juteuse, on peut se passer de la fourchette. Même chose pour les pêches et autres fruits à gros noyau, mais on ne doit pas les couper en quartiers. Les fraises et les framboises se servent équeutées et se mangent avec la fourchette ou la cuillère à dessert. La peau des oranges et des mandarines doit être incisée puis, une fois le fruit dégagé, on en mange les quartiers à la fourchette dans les dîners huppés, à la main ailleurs. Pour les bananes (que vous rencontrerez rarement dans un grand dîner...), il faut fendre la peau du fruit couché dans l'assiette avec son couteau, en le maintenant avec sa fourchette, puis, une fois la banane dégagée, la couper en rondelles et la manger. Pour le melon, on utilise une cuillère s'il est présenté entier ou coupé en deux, le couteau et la fourchette s'il est servi en tranches. Pour les cerises et autres fruits à petit noyau, on crache discrètement le noyau dans le creux de sa main (et non pas dans la cuillère), et on le met au bord de son assiette.

Légumes — Il y a deux écoles. A la française, on utilise une fourchette en s'aidant d'un petit morceau de pain et, à l'anglaise, on pousse avec son couteau. Les pommes de terre ne doivent pas s'écraser en purée mais se couper avec la fourchette, comme d'ailleurs la plupart des légumes. Quant aux artichauts, ils se mangent avec les doigts (en ne trempant chaque feuille dans la sauce qu'une seule fois), on enlève ensuite le foin avec l'arrondi de la fourchette et on déguste le fond avec le couteau et la fourchette.

Œufs à la coque — On ne vous en servira jamais à un grand dîner, mais certainement à un brunch. Il ne faut pas les décapiter avec un couteau, mais briser la calotte à petits coups de cuillère, écaler le sommet de l'œuf et le manger. Une fois fini, on brise délicatement la coquille, sans l'écraser en mille morceaux, afin qu'elle ne roule pas en desservant.

Os — Ne le prenez pas avec les doigts et ne vous acharnez pas dessus. Tant pis s'il reste un peu de viande autour. Seuls les petits oiseaux, comme les cailles ou les pigeons nous autorisent à retrouver nos instincts ancestraux!

Papillote — Ouvrez-la avec le couteau et la fourchette. D'ailleurs, avec vos doigts, vous vous brûleriez et vous saliriez.

Poisson — Voir page (36) pour ce qui est de la façon de le manger. Mais si, par malheur, trompé par votre vue, vous avez des arêtes dans la bouche, faites comme si de rien n'était, recrachez-les très discrètement dans votre main et posez-les sur le bord de votre assiette.

Salade — voir page (36).

Sauce — Vous pouvez en reprendre si vous le désirez (tout en sachant que le mot « jus » ne s'emploie que lorsqu'il s'agit de fruits ou de viande blanche). Quant au surplus, dégustez-le avec la cuillère à sauce ou laissez-le dans votre assiette. En dehors des protocoles sévères, piquer un morceau de pain avec sa fourchette peut être admis à condition de ne pas transformer votre assiette en miroir ni d'émietter du pain dans votre assiette pour qu'il boive mieux la sauce...

Soupe — A part celles de poisson, à l'oignon ou au chou, toutes les autres doivent être appelées potages. Mais elles ne figureront pas au menu des grands dîners où seuls les consommés sont admis. Pour la meilleure façon de la boire, reportez-vous page (36). Et ne penchez pas votre assiette pour en recueillir les dernières gouttes !

ENFIN LA VERITE SUR LES SPAGHETTIS !

On doit les enrouler autour de sa fourchette et ne jamais les couper. Jusque là, tout le monde est d'accord. Mais doit-on s'aider d'une cuillère à soupe ou pas ? Certains Français bien élevés le font en pensant suivre les rites italiens, mais les Italiens chics, eux, ne le font jamais ! Alors, faites comme bon vous semble, pourvu que vous n'enfourniez pas d'énormes bouchées de spaghettis et que vous ne les aspiriez pas ! Servez-les dans des assiettes creuses, en utilisant les nouvelles louches à spaghettis.

A l'étranger aussi, tenez vous bien

Commettre un impair, dans un pays étranger, est tout à fait pardonnable pourvu qu'on ne puisse pas l'assimiler à une indélicatesse. Encore une fois, dans le doute, agissez comme vous le dicte votre cœur. Toutefois, pour s'amuser, faisons un petit tour du Monde des us et coutumes les plus particuliers.

En Suisse — Si l'on vous invite à dîner, présentez-vous chez vos hôtes entre 12 h et 12 h 30. Ce n'est que si l'on vous invite à souper que vous pourrez arriver entre 19 h 30 et 20 h. Attention, en Suisse, l'heure c'est l'heure ! Même chose pour l'heure du départ. Les Suisses, en général, n'aiment pas se coucher tard.

En Italie — Hormis l'exploit que représente la dégustation d'un plat de pâtes sans se faire de taches (rassurez-vous, les Italiens n'y coupent pas non plus et les teinturiers, là-bas, sont des plus prospères), il n'y a pas vraiment de coutumes différentes des nôtres. Comme nous, ils ont le sens du palais et aiment que l'on s'extasie sur leurs talents culinaires. Vous pouvez même ajouter que, d'ailleurs, les rois de France avaient fait venir à la Cour, lors des guerres de la Renaissance, les meilleurs cuisiniers italiens, qui ont su inspirer la grande cuisine française.

LES ORIGINES DE LA FOURCHETTE

L'arrivée des cuisiniers italiens, à la Renaissance, bouscule les habitudes culinaires de la Cour française, mais aussi l'art de la table proprement dit. D'abord, on abandonne les tréteaux au profit de la lourde table en bois massif. Puis, la vaisselle de métal laisse la place à celle en faïence, du nom de la petite ville italienne de Faenza, près de Ravenne. Enfin, et surtout, arrive sur les tables royales françaises un instrument qui a fait son chemin depuis : la fourchette. Cet outil fourchu, comme l'arme du diable, fait peur au début, mais son côté pratique l'emporte. A l'origine, la fourchette n'était composée que de deux longues dents qui servaient à piquer les aliments dans l'assiette, avant qu'on ne les prenne avec les doigts pour les porter à la bouche.C 'est la passion pour les spaghettis qui a modifié l'usage et la forme de la fourchette. Dans son livre « La cuisine à l'Italienne », Sophia Loren raconte que « pour satisfaire un des rois de Naples qui était fou de spaghettis, on inventa la fourchette à quatre dents, beaucoup plus courte qu'auparavant, en usage encore aujourd'hui dans le monde entier ! »

En Grèce — On prend très souvent ses repas les uns chez les autres et il n'est pas difficile de se faire inviter. Comme partout ailleurs, prévoyez d'apporter des fleurs à la maîtresse de maison, et présentez-vous entre 14 h et 14 h 30 pour le déjeuner, et entre 22 h et 22 h 30 pour le dîner.

En Grande-Bretagne — On s'extasie rarement sur la délicatesse de l'art culinaire, et on a tort... tout a changé ! Ce qui demeure, en revanche, c'est la façon de se tenir à table. En France, si l'une des deux mains se trouve inoccupée, elle doit obligatoirement se trouver sur le table. Chez nos voisins d'Outre-Manche, en revanche, il faut la garder sous la table, sur les genoux. Ne vous étonnez pas non plus de voir les fourchettes la pointe en l'air et les cuillères à l'envers. Ce n'est pas par esprit de contradiction, mais c'était l'usage autrefois, afin de pouvoir lire les armoiries des maîtres de maison. Aujourd'hui, l'habitude est restée, même pour les couverts en acier !

Aux Etats-Unis — Plus la table est décorée et chargée, plus l'honneur fait aux invités est grand. Ainsi, il n'est pas rare de voir toute l'argenterie figurer sur la table, de l'entrée jusqu'au dessert ! Un mot gentil pour complimenter la maîtresse de maison sur son sens du raffinement sera le bienvenu. En dehors de cela, on pratique aussi l'usage de la main sur les genoux pendant les repas. Prenez garde à être très ponctuel : si l'heure du dîner est 19 h, n'arrivez pas à 19 h 05, encore moins à 19 h 15.

En Espagne — Si quelqu'un vous invite à dîner, faites-vous prier et attendez que l'invitation ait été formulée au moins trois fois avant d'accepter, car il s'agit souvent d'une formule de politesse ! Attention, comme en Grèce, les heures des repas sont tardives.

En Belgique — Comme en Suisse, faites-vous préciser l'heure de l'invitation car on déjeune le matin, on dîne à midi et on soupe le soir. Sinon, les horaires et les coutumes sont sensiblement les mêmes qu'en France, si ce n'est les consommations d'alcool. Un Belge consomme par an 143 litres de bière, son breuvage national, et 15 litres de vin. Alors qu'un français consomme en moyenne 106 litres de vin et 45 de bière.

En Allemagne — Lorsque vous apportez des fleurs à quelqu'un l'usage veut que vous débarrassiez vous-même le bouquet de son papier et de son ruban. La cuisine allemande est souvent bonne et bien présentée. Malgré tout, voici la phrase que les habitants de ce pays emploient eux-mêmes pour exprimer le comble du raffinement pour les bons vivants : « Vivre comme Dieu en France... » Essayez toutefois de rester modeste !

A QUOI RECONNAIT-ON UN INVITE DE QUALITE ?

La ponctualité : Autrefois, arriver dix minutes avant l'heure inscrite sur le carton d'invitation était le nec-plus-ultra de la bonne éducation. Aujourd'hui, c'est l'inverse. Ces mêmes minutes de battement sont placées après ! Quand un invité s'aperçoit que son retard risque de dépasser une demi-heure, qu'elle qu'en soit la raison, il doit téléphoner pour prévenir la maîtresse de maison.

Ne jamais arriver les mains vides. Faites preuve d'imagination en offrant un cadeau pour la table ou le décor de la maison. Il n'y a qu'en France où on ne pense pas à faire ce type de cadeau. Dommage ! Alors, pourquoi ne pas lancer la mode ?

A table, déplier sa serviette et la poser sur ses genoux. Il ne s'agit ni de la nouer autour du cou, ni même de la glisser par un coin dans un col de chemise ou entre deux boutons. Ce n'est permis que lorsqu'on mange du homard.

Ne rajouter ni sel ni poivre avant d'avoir goûté. Ce serait avoir un préjugé d'office contre les talents de la personne qui aura préparé le plat. Ne pas le sentir non plus, même avec une mine réjouie.

Ne pas couper toute sa viande en morceaux avant de la manger et ne pas écraser ses légumes en purée.

Ne pas boire la bouche pleine, bouche que l'on aura essuyée avant de porter le verre à ses lèvres. Les taches de gras sur le cristal n'ont rien de décoratif.

Ne pas faire « profiter » tout le monde de ce qui se passe à l'intérieur de la bouche lorsque des aliments y ont été enfournés !

Ne pas étendre le bras devant son voisin pour attraper le sel ou autre chose, même sous prétexte de ne pas le déranger. Le demander poliment.

Ne pas céder aux plaisirs de l'ivresse : que cela ne dépasse pas le stade de la gaieté et de la volubilité. Au-delà, c'est gênant pour tout le monde.

Ne pas agiter le champagne pour lui ôter ses bulles. Quand on n'aime pas les bulles, on boit du vin blanc ou autre chose.

Ne pas s'incruster. Si la maîtresse de maison ne sait pas faire comprendre que même les meilleures choses ont une fin, ne pas attendre jusqu'à ce qu'elle propose d'installer un lit...

Le plaisir de faire plaisir

La vie fourmille de bonnes occasions pour essayer de faire plaisir. Un mot gentil par-ci, quelques fleurs ou un petit cadeau par-là, et le courant passe. Ils entretiennent l'amitié, dit-on. Et comme c'est vrai ! Les relations entre les êtres seraient tellement plus chaleureuses si l'on savait offrir aux autres ce qu'ils aiment. Comment ne pas se tromper ? En n'offrant que ce que vous aimeriez que l'on vous offre. Offrir devrait être un plaisir partagé.

1. L'ART DU CADEAU

En plus de toutes les occasions auxquelles on ne peut échapper, comme les fiançailles, mariage, naissance, baptême, anniversaire, Noël, Jour de l'An, etc., il faut instaurer l'ère des cadeaux pour rien, comme ça. Simplement pour le plaisir de faire plaisir. Mis à part les cadeaux offerts par politesse, et pour lesquels on ne fait pas d'effort démesuré d'imagination, il reste tous les cadeaux que l'on offre à des intimes ou, en tout cas, à des gens que l'on aime bien. Pour ceux-là, il faut essayer de réfléchir à ce qui pourrait vraiment faire plaisir. L'éventail de possibilités est, bien sûr, infini. Mais puisqu'on a décidé de vivre mieux, en prenant le parti du raffinement, limitons-nous aux cadeaux qui rendent les maisons plus belles, les tables plus accueillantes et les fêtes plus chaleureuses. Voici des idées pour les occasions « incontournables »... et les autres.

- **Les fiançailles :** n'oublions pas que cette cérémonie est le prélude au mariage et qu'il faut donc réserver son plus beau cadeau pour celui-ci. Il est courant, aujourd'hui, que les fiancés partagent déjà le même toit. Auquel cas, un cadeau utile, pour la maison, sera le bienvenu. S'ils ont besoin de tout, et si vous êtes intimes avec eux, ils vous diront certainement ce qui leur ferait plaisir. Sinon, à vous de jouer ! Allez dans une boutique de cadeaux ou d'arts de la table et vous n'aurez que l'embarras du choix. Service à punch, shaker et verres à cocktail, coupes à glace, tasses à déjeuner en duo, livre de cuisine, plats en porcelaine à feu, œufrier et service de coquetiers, tout est possible. S'ils ont déjà commencé à se constituer un service de table, ce sera encore plus facile.

- **Le mariage :** de nombreux jeunes décident de déposer leur « liste de mariage » dans un magasin spécialisé en arts de la table, petit ou grand. Une solution évidemment très pratique car ils reçoivent exactement ce qu'ils aiment et ce dont ils ont besoin. Si vous préférez faire à votre idée, pourquoi pas, mais assurez-vous que votre idée ne germera pas dans la tête des dix autres personnes... Le mariage est l'occasion idéale pour constituer un service de table, une ménagère ou un service de verres. Mais d'autres idées peuvent aussi faire plaisir : nappe et serviettes brodées, chandeliers, service à gâteau, service à fondue ou à raclette, jolis dessous de plat,

LA SYMBOLIQUE DES NOCES

Vous avez entendu parler, bien sûr, des noces d'argent, d'or ou de diamant. Mais connaissez-vous les autres symboles?

— 1 ans: coton
— 2 ans: papier
— 3 ans: cuir
— 4 ans: cire
— 5 ans: bois
— 6 ans: cypre (ou pyrite, sulfure naturelle)
— 7 ans: laine
— 8 ans: coquelicot
— 9 ans: faïence
— 10 ans: étain
— 11 ans: corail
— 12 ans: soie
— 15 ans: cristal
— 20 ans: porcelaine
— 25 ans: argent
— 30 ans: perle
— 35 ans: rubis
— 40 ans: émeraude
— 45 ans: vermeil
— 50 ans: or
— 60 ans: diamant
— 70 ans: platine
— 75 ans: albâtre
— 80 ans: chêne...

assiettes de présentation, pots à épices, service à café, plats pour micro-ondes, etc.

- **La naissance:** pour sortir de la sempiternelle grenouillère, pensez aux assiettes à bouillie, cuillère et timbale pour bébé en argent (métal argenté ou étain brillant poli), tasse à deux anses, service à enfant, ou, plus symboliquement, une tirelire!

- **Le baptême:** traditionnellement, le parrain offre à son filleul un couvert, une timbale, un coquetier en argent, un service pour bébé ou le premier couvert de son futur service. Comme pour le mariage, la mère peut déposer pour son enfant une « liste de baptême », destinée à tous les invités. Le parrain doit aussi prendre en charge les petits cornets de dragées à offrir à tout le monde (y compris au prêtre et aux enfants de chœur). Un petit cadeau à la marraine ainsi qu'à la maman est aussi une délicate attention. Quant à la marraine, elle offrait la robe et le bonnet de baptême. Mais à présent, ce sont plutôt les fameuses chaîne et médaille de baptême ainsi, éventuellement, qu'un petit cadeau à la maman. Quelques semaines après la cérémonie, elle invite à dîner les parents de son filleul et le parrain, accompagné de sa femme s'il est marié.

- **La communion:** là aussi, la tradition impose des lois. Mais on peut légèrement les transgresser en offrant à l'enfant quelque chose pour sa chambre, ou son premier couvert en argent. Seule contrainte: on n'offre pas de jouets pour la profession de foi.

- **Les anniversaires:** ne croyez pas que seules les femmes seront sensibles à un cadeau destiné à embellir leur maison et, en particulier, leur table. Les hommes aussi, contrairement à l'image que certains veulent donner d'eux-mêmes, aiment leur intérieur et bien recevoir leurs amis. Si vous ne voulez prendre aucun risque, offrez à un homme des verres, un flacon de cristal, des dessous de bouteille, un seau à glace ou à champagne, des choses décorées, une aiguière, ou tout ce qui tourne autour des alcools et du vin. Pour une femme, tout ce qui sert à dresser une jolie table lui fera plaisir puisque c'est une façon de la valoriser dans son image de parfaite maîtresse de maison, sensible au raffinement. Quant aux anniversaires de mariage, mettez-y tout votre cœur. Là non plus, les idées ne manquent pas. Mais pourquoi ne pas essayer d'offrir un cadeau symbolisant le nombre d'années de vie commune?

- **La pendaison de crémaillère:** c'est la fête que l'on organise pour « inaugurer » une nouvelle maison ou un appartement. Cette fois, il n'y a pas d'autre choix possible que d'offrir un cadeau pour la table, la cuisine ou le décor de l'intérieur. Sortez des sentiers battus et pensez à des cadeaux comme un jeu de plateaux, des salières et poivriers amusants, un joli moulin à poivre (dont le véritable nom est « égrugeoir », des porte-couteaux, des verres à cognac, des cendriers de table, des bougeoirs et leurs bougies de toutes les couleurs, un huilier-vinaigrier, un service à sangria, un broc rafraîchisseur (avec un compartiment pour la glace), une coupe de fruits, une assiette de collection, une paire de tasses à bouillon, une lampe etc. Dans les pays nordiques, en plus du petit cadeau pour la maison, les invités apportent du pain et du sel pour porter bonheur au logis et à ses occupants.

- **Les invitations à dîner:** selon votre degré d'intimité (et vos finances), adoptez, là aussi, l'idée du petit cadeau pour la maison, en vous inspirant des suggestions émises pour la pendaison de crémaillère. Si vous connaissez peu les personnes chez qui vous allez, offrez un cadeau moins personnel comme une jolie bonbonnière (en cristal, en faïence, en porcelaine ou en étain), garnie de friandises de qualité, ou simplement un beau bouquet de fleurs, en essayant qu'il sorte de l'ordinaire. Donnez-vous un thème: le blanc, par exemple, qui se marie divinement avec des jolis feuillages.

- **Les invitations à un week-end:** aussi proche que vous soyez des personnes qui vous invitent pour un week-end, n'arrivez pas les mains vides. Essayez de trouver des cadeaux qui vont ensemble. Par exemple, un cache-pot et une plante, un plat et une pelle à tarte accompagnés d'un gâteau acheté ou confectionné par vos soins, une tisanière et tout un choix d'infusions, un beau vase et son bouquet de fleurs, un seau à champagne et une bouteille, une glacette (récipient cylindrique qui sert à conserver frais le vin ou le champagne) et une bonne bouteille, une boîte à biscuits remplie de petits fours secs, des confitures dans leur confiturier.
- **Quant aux petits cadeaux pour rien,** simplement pour le plaisir d'entretenir l'amitié, piochez dans toutes ces idées et trouvez-en encore d'autres, les boutiques spécialisées et le choix qu'elles offrent aideront votre imagination si elle fait défaut!

2. LE PLAISIR DES COLLECTIONS

Il existe deux types de collectionneurs que l'on pourrait qualifier, par un néologisme inventé sur l'heure, de « monothèmes » ou de « polythèmes ».

Les « monothèmes » ont un sujet de prédilection, quel qu'il soit, et n'en démordent pas. Parmi les arts de la table, citons par exemple les chopes à bière, les faïences de Moustiers (ou de toute autre manufacture, existante ou disparue), les chocolatières, les tasses à thé, les verres anciens, les assiettes à thème, les verres à liqueur, les carafes, etc. Ceux-là ont à cœur d'enrichir le thème qu'ils ont choisi.

Les « polythèmes », quant à eux, sont simplement atteints d'un virus qu'aucun antibiotique ne peut anéantir : celui du collectionneur. Pour eux, toutes les occasions sont bonnes pour commencer une collection. Coquetiers, vases émaillés, bonbonnières, assiettes annuelles ou de Noël, chopes millésimées, boîtes à thé, petits flacons, couvercles de soupière, soucoupes joliment décorées, timbales, ronds de serviette, sulfures, figurines, animaux etc., et c'est le début d'une collection.

Il est très amusant de rentrer dans les délires des collectionneurs ; en essayant de leur trouver un élément nouveau, on est sûr de leur faire plaisir. Mais il est encore plus amusant de se laisser contaminer par le virus. L'œil aux aguets, chaque promenade peut se transformer en jeu de piste ou de chasse au trésor, pour dénicher la pièce insolite ou décorative qui viendra enrichir la collection existante ou en débuter une nouvelle. Les collectionneurs sont des gens passionnants car ils sont passionnés par leur « manie ».

UN COLLECTIONNEUR PAS COMME LES AUTRES

Monsieur Laurent Revelli, plus connu simplement par son prénom qui servait d'enseigne à son restaurant, situé en face de Pétrossian à Paris, est un collectionneur hors du commun.

Comme il fallait s'en douter, son thème favori englobe tout ce qui a trait aux arts de la table. Il a d'ailleurs déjà fait plusieurs expositions de ses trésors, au Négresco de Nice, au Trianon de Bagatelle, au Comité des Arts de la Table à Paris, à Vevey en Suisse et à Tours. Il possède des choses extraordinaires, des objets usuels parfaitement insolites, des pièces parfois uniques ou presque, issus des mains expertes des artisans d'autrefois. Il parle avec ferveur de ses curiosités les plus amusantes.

La fourchette du « poilu » manchot. Entre 1914 et 1915, de nombreux soldats français ont perdu un bras pendant les affrontements. Allaient-ils pour autant être privés de viande ou vivre comme des enfants dont il faut s'occuper ? Eh bien non. Un cerveau astucieux a imaginé une fourchette dont l'un des côtés est coupant. Deux outils en un ! Cette fourchette existe pour gaucher ou droitier, selon le bras restant...

Le boîtier de montre-réchaud, pour ne jamais être pris au dépourvu. C'est un mini réchaud à alcool dans un boîtier de montre en métal argenté, pour réchauffer une tasse de thé par exemple.

Le vomitoire, une sorte de cuillère en métal argenté que M. Laurent appelle « gratte-langue », était fort apprécié des gros mangeurs...

Le manche à côtelette. Imaginez un manche à gigot, puis le même ustensile adapté à la taille d'une côtelette d'agneau, et vous aurez une idée du raffinement d'un manche à côtelette.

Le tronc des garçons. Dans les cafés, le pourboire n'existait pas de la main à la main, à la poche, sur le plateau ou sur la table. Il était glissé dans un tronc, accompagné de la « papillote » (l'addition), et tout l'argent recueilli était partagé entre les garçons à la fin du service. Pas de jaloux !

Le couvert pour édenté de luxe... Le couteau a trois lames, une droite au milieu et deux courbes sur le côté, qui servaient à hacher la viande. Et la fourchette, elle, n'a pas de pointes car elle servait juste à enlever ce qui restait sur le couteau et à porter le hachis à la bouche.

La fourchette extensible. Entre le manche et les dents se trouve une sorte d'accordéon métallique qui, lorsqu'on appuie dessus, propulse la fourchette en direction du plat pour y piquer un morceau de viande. On n'ose imaginer les trajectoires de taches entre le plat et les convives munis de cet instrument...

Ce petit échantillonnage de curiosités n'est, bien sûr, qu'une infime parcelle de ce que possède cet amoureux des arts de la table. Lorsqu'il fait des expositions, il décore entièrement quinze tables et pourrait reconstituer, jusque dans les moindres détails, un café de Paris autour de 1900. Aurons-nous la chance de le voir un jour ?

3. LE PLAISIR DES FLEURS

« Si Dieu n'avait fait la femme
il n'aurait fait la fleur »

VICTOR HUGO

Les fleurs, quel délicieux gage d'amour ou d'amitié ! Elles accompagnent tous les moments importants de la vie, et chaque instant de tendresse. Poétiques et charmantes comme les fleurs des champs, élégantes et raffinées comme celles des fleuristes, flamboyantes, étranges et rares comme les fleurs exotiques, toutes ont le don de nous séduire. Pourrions-nous imaginer un monde sans fleurs ? Ce serait un monde sans âme. Pour les maisons, c'est pareil. Dès qu'il y a un bouquet de fleurs quelque part, la pièce semble habitée, accueillante, chaleureuse.

On peut offrir des fleurs à tous moments et en toutes occasions. Mais, pour certaines de ces occasions, elles répondent encore aujourd'hui à des règles, dictées par les usages, qu'il est agréable de respecter.

- **Les circonstances « à fleurs obligatoires »**

Certaines cérémonies, sans fleurs, ne seraient pas ce qu'elles devraient être. Les fiançailles, par exemple. Quitte à se plier à cette cérémonie, qui n'a plus rien d'essentiel aujourd'hui, autant jouer le jeu jusqu'au bout. Le fiancé devra donc, le matin même de la fête, envoyer à sa promise un beau bouquet de fleurs blanches. Quant aux invités, en plus du traditionnel cadeau, ils apporteront également des fleurs blanches à la fiancée, mais ils pourront agrémenter leur bouquet de quelques fleurs roses.

Pour le bouquet de mariée, c'est aussi le garçon qui en aura l'initiative (en principe...). Contrairement au bouquet de la fiancée, qui était destiné à s'épanouir dans un vase, celui de la mariée sera tenu dans ses blanches mains, il devra donc être conçu pour être facile à tenir, et constitué de fleurs blanches uniquement.

Aujourd'hui, lorsque l'on veut glisser un message dans un bouquet de fleurs, on ne choisit plus lesdites fleurs en fonction du message qu'exprimait autrefois leur langage poétique. Dommage. Cette coutume avait un charme immense. Mais au fait, pourquoi ne pas essayer de la remettre au goût du jour, contre vents et marées? Pour cela, prenez bonne note des secrets que les fleurs recèlent.

Encore deux ou trois choses à savoir pour offrir des fleurs dans les règles de l'art: sachez que les roses s'offrent en nombre impair, que l'on n'offre pas de roses rouges à une jeune fille, que certaines fleurs ne s'offrent pas (le chrysanthème) et que d'autres ont la fâcheuse réputation de porter malheur (œillets). Un détail pra-

LE LANGAGE DES FLEURS...

Anémone: pourquoi m'avez-vous abandonné?

Aubépine: il vous est permis d'espérer.

Bleuet: je vous suis fidèle.

Bouton d'or: vous êtes une ingrate.

Capucine: je brûle d'amour.

Colchique: les beaux jours sont finis.

Cyclamen: nos plaisirs sont enfuis.

Ephémère: chaque jour je vous découvre.

Géranium citronné: vous me tyrannisez.

Géranium rose: je m'étiole loin de vous.

Giroflée: je suis déçu.

Gui: notre liaison est dangereuse.

Hortensia: vous êtes belle mais indifférente.

Immortelle: je vous aime pour la vie.

Iris: vous êtes inconstante.

Jasmin: vous ennivrez mes sens.

Jonquille: je vous désire.

Lavande: répondez-moi.

Lilas: mon amour s'éveille pour vous.

Lis: vous êtes pure.

Marguerite: adieu...

Marjolaine: séchez vos larmes.

...

Muguet: soyons heureux.

Myosotis: ne m'oubliez pas.

Narcisse: vous n'aimez que vous-même.

Œillet: vous avez une rivale.

Pâquerette: vous êtes jolie.

Pavot: vous éveillez mes soupçons.

Pensée : je ne pense qu'à vous.

Pervenche: vous êtes mon premier amour.

Pivoine: je suis confus.

Pois de senteur: vous êtes raffinée.

Primevère: j'ai envie d'aimer.

Reine-marguerite: m'aimez-vous?

Renoncule: vous avez toutes les séductions.

Rose blanche: votre beauté est innocente.

Rose jaune: vous êtes volage.

Rose rouge: mon amour est ardent.

Souci: je suis jaloux.

Tulipe: mon amour est sincère.

Violette: vous êtes modeste.

Volubilis: je vous couvre de caresses.

Zinnia: tenez-vous sur vos gardes.

A présent à vous de trouver les fleurs appropriées à votre message!

S
P

HERMÈS
LEAU DE CHASSE

tique pour terminer : les femmes commencent à offrir des fleurs à ces messieurs. Mais elles oublient souvent que les hommes ont encore moins de vases que les femmes. Alors, pourquoi ne pas offrir le vase avec les fleurs ?

- **Quel type de bouquet pour quel type de vase?**

Les vases existent depuis la plus haute Antiquité, avec leurs variétés de tailles, de formes et de couleurs. Ces trois particularités ont toujours leur importance dans le choix des fleurs à y mettre. Encore que, pour la couleur, on ait moins de scrupules aujourd'hui à mettre des pivoines rose vif dans un vase jaune, par exemple. En revanche, la forme et la taille restent déterminantes dans le choix des fleurs. Schématiquement, il existe trois types de vases se déclinant en une foule de tailles subsidiaires.

Les vases type « conique » — Ce sont eux qu'il faut choisir quand on aime les bouquets sauvages ou romantiques, les formes ébouriffées. Dans ces vases-là, mettez plusieurs sortes de fleurs, aux teintes en harmonie, et allégez le bouquet avec des gypsophiles, des fétuques, des feuillages d'eucalyptus ou de buissons sauvages. Les fleurs qui conviennent le mieux pour ce type de vases sont toutes celles qui ont de petites corolles (œillets de poète, fleurs des champs, marguerites, jonquilles, baies sauvages, etc.).

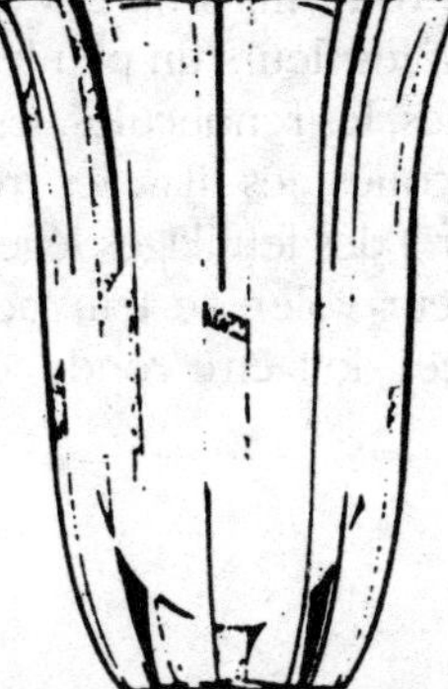

Conique

Les vases type « cylindre » — Ils vont du soliflore au vase-tube, du vase carré à tous les vases « au long col emmanché d'un long cou ». Ils mettent en valeur les fleurs au port altier comme les glaïeuls, les marguerites d'automne, les tulipes, les fleurs exotiques, les arums, les grandes roses, les lis, les ajoncs, les forsythias, etc. Un conseil: pour casser la rigueur de l'ensemble, vous pouvez ajouter un feuillage artistement disposé, qui habillera négligemment les tiges des fleurs, ou de la fleur si vous n'en mettez qu'une.

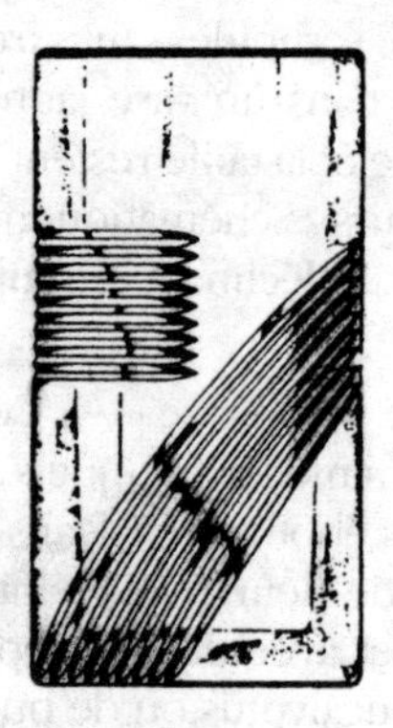

Cylindre

Les vases type « boule » — Ils ont généralement le ventre rond mais un col étroit. Ce sont eux qui disciplinent les fleurs un peu légères comme les dahlias, les pivoines, les renoncules, les petites roses, les anémones, les ancolies, les lilas, les frézias, etc. Là aussi, il faut les marier à des feuillages légers qui les mettront en valeur sans leur voler de leur beauté. La forme générale du bouquet doit être ronde, comme le vase.

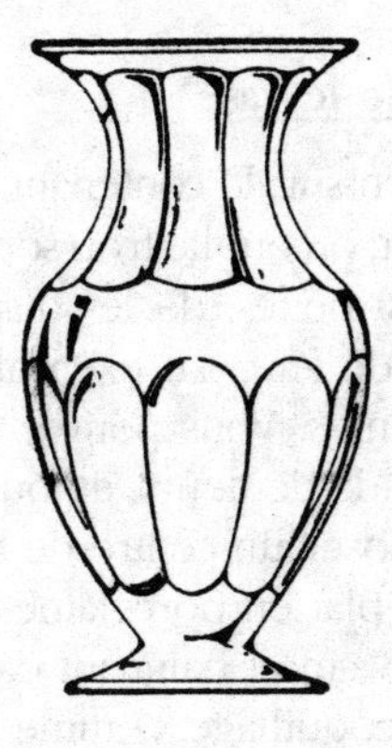

Boule

LA RÈGLE D'OR

Pour qu'un bouquet soit harmonieux, il faut que le vase représente environ un tiers de l'ensemble, et les fleurs les deux autres tiers. Cette proportion doit aussi s'équilibrer en largeur pour les bouquets arrondis.

Pour vous aider dans la composition de vos bouquets, vous pouvez disposer, au fond du vase, un pique-fleurs, des billes de verre ou du grillage entremêlé, qui maintiendront les tiges dans la position que vous aurez décidée au départ.

• **D'autres idées que le vase**

Le vase est, bien sûr, le contenant privilégié pour les fleurs. Et, de ce fait, on oublie trop souvent qu'il y a mille autre façons, aussi belles, de les disposer.

Sur une table de fête, par exemple, de nombreuses idées sont ravissantes. Vous pouvez faire courir sur la nappe une guirlande de fleurs, entourer l'emplacement des carafes, composer un centre de table dans un saladier ou un grand plat en porcelaine ou en faïence (les fleurs coupées à 3 cm et baignant dans l'eau), les faire sortir d'un grand coquillage, comme une corne d'abondance, les enrouler autour des bougeoirs ou d'un chandelier, disposer des mini bouquets individuels, dans un coquetier, un verre à liqueur, un flacon, une timbale en étain ou en argent, ou nageant dans un petit ravier.

Pour créer de jolies compositions, pensez à utiliser ces blocs de mousse spéciale, en vente chez les fleuristes ou dans les jardineries, qui s'installent au fond du récipient et que vous gorgez d'eau. Vous pouvez y piquer des fleurs sans crainte de les voir se dessécher. Ils existent aussi en forme de couronne, parfaits pour les centres de table. A vous les bouquets dans des corbeilles ou des plats en argent, des coupes à fruits ou des légumiers, des compotiers ou des coupes à glace individuelles, voire même de simples tasses. Effet réussi garanti !

Vous pouvez également composer des bouquets de table à partir d'éléments secs comme le blé, le maïs, les glands, les châtaignes, les fleurs séchées, les chatons, les monnaies du pape etc... et même les mélanger avec des fleurs fraîches, à condition que l'ensemble soit harmonieux.

L'harmonie est d'ailleurs, d'une façon générale, le

secret des beaux bouquets ou compositions florales réussies. Cherchez l'équilibre dans les couleurs et les formes, ayez un petit choix de vases différents selon l'humeur du jour et le caprice des saisons, et fleurissez-vous la vie!

Testez votre savoir

21 QUESTIONS-PIÈGES

Livrez-vous à ce petit jeu des questions-pièges. Si tout cela vous semble d'une évidence absolue et que ces mots n'ont aucun secret pour vous, bravo ! Vous êtes très fort et les arts de la table sont un domaine qui vous est familier. Si vous connaissez la définition de quelques mots mais que d'autres vous laissent pantois, c'est que vous êtes un « terrain favorable » et que seules quelques touches suffiraient à parfaire votre raffinement. Si aucun mot ne vous dit quelque chose, vous avez de la chance car il vous reste encore de nombreuses merveilles à découvrir...

1. Qu'est-ce qu'un biscuit (quand ce n'est pas un petit gâteau) ?

2. Qu'est-ce que le vermeil (quand ce n'est pas une couleur) ?

3. Qu'est-ce que le Vieux Paris (quand ce n'est pas un quartier du Marais) ?

4. Qu'est-ce que le Jersey (quand ce n'est ni une maille de tricot ni une île anglo-normande)?

5. Qu'est-ce que la Minerve (quand ce n'est ni la déesse antique, ni une prothèse)?

6. Qu'est-ce qu'un bout de table (quand ce n'est ni un morceau de table, ni la place attribuée à un invité de piètre importance)?

7. Qu'est-ce qu'un serviteur muet (quand ce n'est pas un domestique qui a perdu l'usage de la parole)?

8. Qu'est-ce que le coq (quand ce n'est pas le pacha du poulailler)?

9. Qu'est-ce qu'un fusil (quand il n'est ni à pompe ni à lunette, ni cette longue arme à feu pointée par les chasseurs)?

10. Qu'est-ce qu'un marabout (quand ce n'est ni un mage africain, ni un volatile haut sur pattes)?

11. Qu'est-ce qu'un cul noir (quand ce n'est pas un postérieur qui aurait séjourné sur un tas de charbon)?

12. Qu'est-ce que le cygne (quand ce n'est pas ce majestueux oiseau blanc qui glisse sur l'eau des lacs)?

13. Qu'est-ce qu'une mandoline (quand ce n'est pas le joli petit instrument de musique à cordes)?

14. Qu'est-ce qu'une égoïste (quand ce n'est pas une personne malfaisante qui ne pense qu'à elle)?

15. Qu'est-ce qu'une chevrette (quand ce n'est pas une capricante petite chèvre)?

16. Qu'est-ce qu'une fusée (quand ce n'est pas un engin aéronautique qui peut se propulser dans l'espace)?

17. Qu'est-ce que le vieillard (quand ce n'est pas un être cacochyme, croulant sous le poids des années)?

18. Qu'est-ce que les girandoles (à ne pas confondre avec les girolles ou les farandoles...)?

19. Qu'est-ce qu'une aile (quand ce n'est pas la partie du corps des oiseaux qui leur permet de voler)?

20. Qu'est-ce qu'une gazette (quand ce n'est pas la rubrique des petits potins dans un journal)?

21. Qu'est-ce qu'un étain brillant (quand ce n'est pas un étain bien astiqué) ?

Ce qu'il fallait savoir...

1. Le biscuit est de la porcelaine laissée à l'état brut, sans décor ni vernis. Au XVIIIe siècle, ce terme désigne les figures sculptées et les reliefs blancs et mats dont l'invention revient à la manufacture de porcelaine de Vincennes.

2. Le vermeil est de l'argent massif doré à l'or fin. On peut trouver aussi bien des couverts en vermeil que des petits objets ou des bijoux.

3. Le Vieux Paris est un décor peint à la main sur certaines céramiques de l'époque Romantique, au XIXe siècle. C'est souvent un décor floral. C'est aussi un style de la grande époque de l'argent massif.

4. Le Jersey est un procédé d'oxydation de la céramique, vernis oxydé couleur vieil or, ressemblant un peu à du cuivre. Le procédé aurait été mis au point dans l'île anglo-normande, d'où son nom. Les pièces en Jersey sont souvent recherchées par les collectionneurs.

5. La Minerve est le poinçon de l'argent massif, depuis 1838. Ce poinçon, comme d'ailleurs tous les poinçons d'Etat, est à la fois une sorte de redevance et la garantie que l'argent massif est au premier titre.

6. Un bout de table est un flambeau ou un chandelier que l'on installe au bout de la table décorée, pour l'illuminer.

7. Un serviteur muet est une pièce de service en faïence, porcelaine, étain ou cristal constituée de deux ou trois assiettes de tailles décroissantes superposées, percées en leur centre et retenues par une tige métallique. Il sert généralement à présenter les fruits ou les petits fours.

8. Le coq est le poinçon de l'argent massif premier titre qui a été émis de 1797 à 1809 (pour le premier coq) et de 1809 à 1819 (pour le deuxième coq). Les pièces d'argenterie poinçonnées au coq sont recherchées car elles sont rares.

9. Le fusil est une longue pointe d'acier légèrement râpeuse, montée sur un manche qui sert à affûter les couteaux.

10. Un marabout est une toute petite cafetière d'époque Napoléon III, le plus souvent en argent ou en métal argenté, et que l'on utilisait pour préparer et servir le café turc.

11. Un cul noir était une pièce de vaisselle en faïence ordinaire, généralement un plat de service, dont le dessous avait été vernissé en brun foncé pour mieux résister à la chaleur du four (très recherché par les collectionneurs).

12. Le cygne est le poinçon de l'argent massif qui est apposé sur les pièces dont on ne connaît pas l'origine (ce sont souvent des pièces étrangères), mais dont le titre d'argent est conforme à celui en vigueur en France.

13. Une mandoline est un ustensile de cuisine constitué d'une planchette, partagée en son milieu par une lame, qui sert à émincer les légumes.

14. Une égoïste est une toute petite cafetière, datant du XVIIIe siècle, prévue pour une personne seulement, d'où son nom...

15. Une chevrette est un vase à anse et bec, en forme de globe qui sert à contenir les produits liquides (utilisé surtout en pharmacie).

16. Une fusée est le petit éclat de couleur qui se produit sur une céramique lorsque la couleur déborde du dessin et irradie dans l'émail. Ce n'est pas un défaut!

17. Le vieillard est le poinçon d'argent massif premier titre, de 1819 à 1838.

18. Les girandoles sont des flambeaux généralement ornés de pendeloques de cristal.

19. L'aile est le bord d'un plat ou d'une assiette (appelé couramment « Marli » par les porcelainiers).

20. La gazette (ou cassette) est une boîte en terre réfractaire dans laquelle on enfourne les pièces de vaisselle, en particulier les assiettes, pendant la cuisson. Elles sont empilées les unes sur les autres dans le four.

21. L'étain brillant est un étain de fabrication actuelle. La couleur naturelle de l'étain étant identique à celle de l'argent, la couleur grise est due à une patine artificielle.

Liste des adhérents du Comité des Arts de la Table

Arabia
Orfèvrerie Aubry-Cadoret
Baccarat
Barois-Culiverre
Verrerie de Biot
Porcelaine Boyer
Porcelaine Chastagner
Chabanne
Christofle
Porcelaine C.N.P.
Porcelaine Coquet
Cristal de Sèvres
Cristalleries Royales de Champagne
Dartington-Crystal
Daum
D.B.M.A. *Diffusion*
Porcelaine Philippe Deshoulières
Cristal J.G. Durand
Ercuis-Saint Hilaire
Les Étains à la Licorne
Les Étains du Manoir

Evrard
Fabiora
Foncegrive
Porcelaine Friesland
Gien France
Orfèvrerie Girod
Cristallerie de Haute-Bretagne
Porcelaine Haviland
Porcelaine Robert Haviland & C. Parlon
Herend
Lalique
La Rochère *(Cristallerie et Verrerie de)*
Létang & Rémy
Manufacture de Bourgogne
Matous
Orfèvrerie Meurgey
Poteries du Marais
Quinten
Richard Ginori
Cristal Riedel
Porcelaine Rorstrand
Rosenthal France
Royal Doulton
Cristalleries de Saint-Louis
Orfèvrerie Scof
Siècle
Solafrance
Thomas Porcelaine
Villeroy & Boch
Orfèvrerie Wilkens

Imprimé en France
pour le compte des Éditions
PROBOOK
avec la participation de l'agence
AUSTRALIE

Dépôt légal avril 1990
ISBN 2-9504594-0-4

LE LIVRE MEDIA
101-109 rue Jean-Jaurès 92300 Levallois-Perret
42.70.17.95